La dama pájara

y otros cuentos

Camilo José Cela

La dama pájara
y otros cuentos

ESPASA CALPE

Edición especial de la COLECCIÓN AUSTRAL

Director Editorial: Javier de Juan y Peñalosa
Editora: Celia Torroja Fungairiño

I Title

Diseño de cubierta: Joaquín Gallego
Ilustración de cubierta: Eugenio Ramos, recreación de un
    personaje de José Gutiérrez Solana

Depósito legal: M. 22.942-1994
ISBN: 84-239-7681-5

Impreso en España/Printed in Spain
Impresión: Gaez, S. A.

Editorial Espasa Calpe, S. A.
Carretera de Irún, km. 12,200. 28049 Madrid

ÍNDICE

El bonito crimen del carabinero y otros engaños y ofuscaciones

I.
Cuentos entre desgarrados y humorísticos

A Narcisín, a Crescencín y a Columbita, que pasaron la tos ferina en casa, cuando la guerra. Fallecieron de Sida, años más tarde.

A Pepito Cap, joven asesino de la provincia de Murcia, ligeramente emparentado con el autor. Pepito Cap fue cachirulo de mi tía Victoria y padre natural de mis tres primos no reconocidos, Narciso, Crescención y Columba. Después, cuando sentó cabeza, llegó a procurador en Cortes por el tercio familiar. Falleció en una montería en Sierra Morena; estaba retozando con una moza, cabe una zarzamora, cuando un montero poco previsor le descerrajó un tiro que lo dejó de un aire y aun más muerto que pasmado. Descanse en paz.

EL BONITO CRIMEN DEL CARABINERO

Cuando Serafín Ortiz ingresó en el seminario de Túy tenía diecisiete años y era más bien alto, un poco pálido, moreno de pelo y escurrido de carnes.

Su padre se llamaba Serafín también, y en el pueblo no tenía fama de ser demasiado buena persona; había estado guerreando en Cuba, en tiempos del general Weyler, y cuando regresó a la Península venía tan amarillo y tan ruin dentro de su traje de rayadillo, que daba verdadera pena verlo. Como en Cuba había alcanzado el grado de sargento y como a su llegada a España tuvo la suerte de caerle en gracia, ¡Dios sabrá por qué!, a don Baldomero Seoane, entonces director general de aduanas, el hombre no anduvo demasiado tiempo tirado, porque un buen día don Baldomero, que era hombre de influencia en la provincia y aun en Madrid, le arregló las cosas de forma que pudo ingresar en el cuerpo de carabineros.

En Túy prestaba servicio en el puente internacional y tal odio llegó a cogerle a los perros, que invariablemente le ladraban, y a los portugueses, con quienes tenía a diario que tratar, que a buen seguro que sólo con el cuento de sus dos odios tendríamos tema sobrado para un libro y gordo. Dejemos esto sin embargo, y pasemos a contar las cuatro cosas que necesitamos.

Cuando Serafín, padre, llegó a Túy, algo más repuesto ya, con el bigote engomado y vestido de verde, jamás nadie se hubiera acordado del repatriado palúdico y enclenque de seis meses atrás. Tenía buena facha, algo chulapa, no demasiados años, y unos andares de picador, a los que las personas de alcurnia con quienes hablé me aseguraron no encontrarles nada de marcial, ni siquiera de bonitos, pero que entre las criadas hacían verdaderos estragos.

Aguantó dos primaveras soltero, pero a la tercera (como ya dice el refrán, a la tercera va la vencida) casó con la criada de doña Basilisa, que se llamaba Eduvigis; doña Basilisa, que en su ya largo celibato gozaba en casar a los que la rodeaban, acogió la boda con simpatía, los apadrinó, con don Mariano Acebo, subteniente de carabineros y comandante de uno de los puestos; les regaló la colcha y les ofreció, solemnemente, dejar un legado para que estudiase la carrera de cura uno de sus hijos cuando los tuviesen. Así era doña Basilisa.

Al año corto de casados vino al mundo el primer hijo, Serafín, que no es éste del que vamos a hablar, sino otro que duró cuatro meses escasos, y al otro año nació el verdadero Serafín que, aunque por la pinta que trajo parecía que no habría de durar mucho más que el otro, fue poco a poco creciendo y prosperando hasta llegar a convertirse en un mocito. Tuvieron después otro hijo, Pío, y dos hijas gemelas, Isaura y Rosa, y después se mancó el matrimonio porque Eduvigis murió de unas fiebres de Malta.

Como Serafín, hijo, entró de dependiente en El Paraíso, el comercio de don Eloy, el Satanás, donde tenía fijo un buen porvenir, el padre pensó que lo mejor habría de ser aplicar el legado de doña Basilisa, cuando llegase, a su segundo hijo, que aún no se sabía qué habría de ser de él y a quien parecía notársele cierta afición a las cosas de iglesia.

Pío parecía satisfecho con su suerte y ya desde pequeño se fue haciendo a la idea de la sotana y la teja para cuando fuese mayor; Serafín, en cambio, parecía cada hora más feliz en su mostrador despachando cobertores, enaguas y toquillas a las señoras, o tachuelas, piedras de afilar y puntas de París, a los paisanos que bajaban de las aldeas, y jamás pudo sospechar lo que el destino le tenía guardado para cuando el tiempo pase.

Había conseguido ya Serafín ganarse la confianza del amo y un aumento de quince reales en el sueldo, cuando doña Basilisa, que era ya muy vieja, se quedó un buen día en la cama con un resfriado que acabó por enterrarla. Se le dio sepultura, se rezaron las misas, se abrió el testamento, pasó a poder de los curas el legado para la carrera de Pío, y éste entró en el seminario.

Serafín, padre, estaba encantado con la muerte de doña Basilisa, porque pensaba, y no sin razón, que había llegado como agua de mayo a arreglar el porvenir de sus hijos, lo único que le preocupaba, según él, aunque los demás no se lo creyeran demasiado.

Con Serafín en la tienda, Pío estudiando para cura y las hijas, a pesar de su corta edad, de criadas de servir, las dos en casa de don Espíritu Santo Casáis, el cónsul portugués, Serafín, padre, quedaba en el mejor de los mundos y podía dedicar su tiempo, ya con entera libertad, al vino del Ribero, que no le desagradaba nada, por cierto, y a Manolita, que le desagradaba aún menos todavía y con quien acabó viviendo.

Pero ocurre que cuando el hombre más feliz se cree, se tuercen las cosas a lo mejor con tanta rapidez que, cuando uno se llama a aviso para enderezarlas, o es ya tarde del todo, como en este caso, o falta ya tan poco que viene a ser lo mismo. Lo digo porque con la muerte del seminarista empezó la cosa a ir de mal en peor, para acabar como el verdadero rosario de la aurora; sin embargo, como de cada vida nacen media docena de vidas diferentes y de cada desgracia lo mismo pueden salir seis nuevas desgracias como seis bienaventuranzas de los ángeles, y como de cierto ya es sabido que no hay mal que cien años dure, si bien podemos dar como seguro que el carabinero esté tostándose a estas fechas en poder de Belcebú, como justo pago a sus muchos pecados cometidos, nadie podrá asegurar por la gloria de sus muertos que las dos hijas y el hijo que le quedaron no hayan tenido un momento de claridad a última hora que les haya evitado ir a hacer compañía al padre en la caldera.

El pobre Pío agarró una sarna en el seminario que más que estudiante de cura llegó a parecer gato sin dueño, de pelado y carcomido como le iba dejando; el médico le recetó que se diese un buen baño, y efectivamente el pobre se acercó hasta el Miño para ver de purificarse aunque, sabe Dios si por la falta de costumbre o por qué, lo cierto es que tan puro y tan espiritual llegó a quedar, que no se le volvió a ver de vivo; el cadáver lo fue a encontrar la guardia civil al cabo de mucho tiempo flotando, como una oveja muerta, cerca ya de La Guardia.

Cuando Serafín se enteró de la muerte del hijo, montó en cólera y salió como una flecha a casa de las hermanas de doña Basilisa, de doña Digna y doña Perfecta.

Cuando llegó habían salido a la novena, y en la casa no había nadie más que la criada, una portuguesa medio mulata que se llamaba Dolorosa y que lo recibió hecha un basilisco y no le dejó pasar de la escalera; Serafín se sentó en el primer peldaño esperando a que llegasen las señoritas, pero poco antes de que esto sucediera, tuvo que salir hasta el portal porque Dolorosa le echó una palangana de agua, según dijo a gritos y, después de echársela, porque le estaba llenando la casa de humo.

En el portal poco tiempo tuvo que aguardar, porque doña Digna y doña Perfecta llegaron en seguida; él les salió al paso y nunca enhoramala lo hubiera hecho, porque las viejas, que en su pudibundez en conserva estaban más recelosas que conejo fuera de veda, en cuanto que olieron el olor del tabaco, empezaron a persignarse y en cuanto que adivinaron un hombre saliéndoles al encuentro, echaron a correr pegando tales gritos, que mismamente pareciera que las estaban despedazando.

En vano fue que el carabinero tratase de apaciguarlas, porque cada vez que se le ocurría decirles alguna palabra redoblaban ellas los aullidos.

—¡Pero doña Digna, por los clavos del Señor, que soy yo, que soy Serafín! ¡Pero doña Perfecta!

Lo cierto fue que como las viejas, cada vez más espantadas, habían llegado ya a la Corredera y parecían no dar mayores señales de cordura, Serafín prefirió dejarlas que siguiesen escandalizando y marchar a su casa a decidir él solo qué se debiera hacer.

Doña Digna y doña Perfecta aseguraban a las visitas que era el mismísimo diablo quien las estaba esperando en el portal (que rociaron a la mañana siguiente con agua bendita), mientras Serafín, por otra parte, decía a quien quisiera oírle que las dos viejas estaban embrujadas.

Serafín, en su casa, pensó que todo sería mejor antes que renunciar al legado de doña Basilisa, y a tal efecto mandó llamar a su ya único hijo para enterarle de lo que había decidido: que fuese el sucesor del hermano. En un principio, Serafín, hijo, se mostró algo reacio a la idea, que no le ilusionaba demasiado, y recurrió a darle a su padre las soluciones más peregrinas, desde que fuese él quien entrase en el seminario hasta llegar a un arreglo con los curas para repartirse el legado. El padre, aunque la primera solución la rechazó de plano, pensó durante algunos días en la segunda, que si no llegó a poner en práctica fue probablemente por no estar ya por entonces en Túy don Joaquín, quien se hubiera encargado de arreglar la cosa.

El hijo resistió todavía unos días más; pero, como era débil de carácter y como veía que si no cedía no iba a sacar en limpio más que puñetazos del padre, un buen día, cuando éste veía ya el legado convertido en misas, dijo que sí, que bueno, que sería él quien se sacrificaría si hacía falta, y entró. Tenía por entonces, como ya dijimos, diecisiete años.

Se vistió con la ropa del hermano, que le estaba algo escasa, y por encargo expreso de su padre fue a hacer una visita a doña Perfecta y doña Digna, quienes se mostraron muy afables y quienes le soltaron un sermoncete hablándole de las verdaderas vocaciones y de lo muy necesarias que eran, sobre todo para luchar contra el Enemigo Malo, que acecha todas las ocasiones para perdernos y que, sin ir más lejos, el otro día las estaba a ellas esperando en el portal.

El mocete se reía por dentro (y trabajo le costó no hacerlo por fuera también), porque ya había oído relatar al padre la aventura, pero disimuló, que era lo prudente, aguantó un ratito a las dos hermanas, les besó la mano después y se marchó radiante de gozo con la peseta que le metieron en el bolsillo para premiar su hermoso gesto, según le dijeron. Cuando Dolorosa le abrió la puerta aparecía compungida, quién sabe si por la ducha que le propinara pocos días atrás al padre de tan ejemplar joven.

Los primeros tiempos de seminario no fueron los más duros y momento llegó a haber incluso en que se creyó con vocación. Lo malo vino más tarde, cuando empezó a encontrar vacías las largas horas de su día y a echar de menos sus cháchara tramposas con las compradoras y hasta los gritos del Satanás. Empezó a estar triste, a perder la color, a desmejorar, a encontrar faltos de interés el latín y la teología...

Miraba correr las horas, desmadejado, arrastrando los pies por los pasillos o dormitando en las aulas o en la capilla, y a partir de entonces cualquiera cosa hubiera dado a cambio de su libertad, de esa libertad que tres años más tarde había de recuperar.

El padre se seguía dando cada vez más al vino y tenía ya una de esas borracheras crónicas que le llenan a uno el cuello de granos, la nariz de colorado y la imaginación de pensamientos siniestros. Fue también a visitar a las hermanas de doña Basilisa, sacaron ellas su conversación favorita —la del demonio del portal—, y aunque Dolorosa podía echarlo el día menos pensado todo a perder contando lo que sabía, se las fue él arreglando de forma de sacarles los dineros, a cambio de su protección y gracias a los demonios que hacía aparecer para luego espantar, y tan atemorizaditas llegó a tenerlas que acabó resultándole más fácil hurgarles en la bolsa que echar una firma delante del comisario a fin de mes.

Pasó el tiempo, seguían las cosas tan iguales las unas a las otras que ya ni merecía la pena hacerles caso, doña Perfecta y doña Digna eran más viejas todavía...

Serafín, padre, iba ya todas las tardes a casa de las viejas, donde le daban siempre de merendar una taza de café con leche y un pedazo de rosca, y allí se quedaba hasta las ocho o las ocho y media, hora en que las hermanas se iban a cenar su huevito pasado y él se marchaba, después de haberse desprendido de sus consejos contra el demonio, a la taberna de Pinto, donde esperaba a que le diera la hora de cenar.

En el figón de Pinto se hizo amigo de un chófer portugués que se llamaba Madureira y que llevaba un solitario en un dedo del tamaño de un garbanzo y tan falso como él. Madureira era un hombre de unos cuarenta a cuarenta y cinco años, moreno reluciente, con los colmillos de oro y con toda la traza de no tener muchos escrúpulos de conciencia ni pararse demasiado en barras. Vivía emigrado de su país —según decía, por ser amigo de Paiva Couceiro—, y como el hombre no se resignaba a vivir como un cartujo, sino que le gustaba tener siempre un duro en el bolsillo, se buscaba la vida como mejor Dios, o probablemente el diablo, le diera a entender.

Serafín le veía con frecuencia en casa de Pinto hablando siempre a gritos ante un coro de jenízaros que le miraban embobados, y aunque al principio no sentía por él ninguna atracción, ni siquiera curiosidad, por eso quizá de ser portugués, al final, como siempre ocurre, empezó a saludarlo, primero una vez en Puente Caldelas, donde coincidieron una tarde; después, en Túy, por la calle, y por último en el figón, donde se encontraban todas las noches.

Al Madureira le llamaban por mal nombre Caga n'a tenda, porque según los deslenguados, le habían echado de la botica de don Tomás Vallejo, donde en otro tiempo prestara sus servicios, por haberle cazado el dueño haciendo sus necesidades debajo del mostrador, y tan mal le parecía el mote y tan fuera de sus cabales se ponía al oírlo, que en una ocasión y a un pobre viajante catalán, que no sabía lo que quería decir y debió creerse que era el nombre, le arreó tal navajazo en los vacíos y en medio de una partida de tute, que de no haber querido Dios que el catalán tuviese buena encarnadura y curase en los días de ley, a estas horas seguiría Caga n'a tenda encerrado en una mazmorra y más aburrido y más harto que una mona.

El Madureira y Serafín acabaron siendo amigos, porque en el fondo estaban hechos tal para cual, y la amistad, que fue subiendo de tono poco a poco y desde la noche en que los dos se sorprendieron, al mismo tiempo, haciendo trampas en el juego y se miraron con la misma mirada de cómplices, quedó sellada definitivamente con el más duradero de los sellos: el miedo de cada uno a la palabra del otro.

Desde aquel día, y sin que mediase palabra alguna de acuerdo, se consideraron ya como socios y empezaron a hablar de sus turbios manejos con la mayor confianza del mundo.

El Madureira enteró a Serafín de sus dos inmediatos proyectos, y como a éste le parecieron bien, dieron ya el golpe juntos. El cartero Telmo Varela se quedó sin las sesenta pesetas que llevaba para pagar un giro, y al cobrador de la línea de autobuses le arrearon una paliza tremenda por no querer atender a razones y entregarles las ciento diez pesetas que llevaba camino de la administración.

A Serafín le encantó la disposición del Madureira y su buena mano para elegir la víctima, y como ni el cartero ni el cobrador pudieron reconocer a los que les llevaron los dineros, se frotaba las manos con gozo pensando en los tiempos de bonanza que le aguardaban con los cuartos de los demás.

Se repartieron las ganancias con igualdad, diecisiete duros cada uno, porque el Madureira en esto presumía de cabal, y siguieron planeando y dando pequeños golpes afortunados que les iban dejando libres algunas pesetas.

El Madureira, sin embargo, ansioso siempre de volar más alto y de ampliar el negocio, acosaba constantemente a Serafín para animarlo a dar el golpe gordo que había de enriquecerlos: el atraco a doña Perfecta y doña Digna quienes, según era fama en el pueblo, guardaban en su casa un verdadero capital en joyas antiguas y en pelusonas.

A Serafín le repugnaba robar a las viejas a quienes visitaba todas las tardes y quienes encontraban en él un valedor contra el demonio, porque en el fondo todavía le quedaba una llamita de conciencia; pero como Caga n'a tenda era más hábil que un rayo, y como acabó metiéndole miedo con no sé qué maniobra infalible que tenía en su mano para ponerlo, sin que pudiera ni rechistar, en manos de la guardia civil, acabó por ceder y por resignarse a planear el asunto, aunque desde el primer momento puso como condición no tocar ni un pelo de la ropa a las viejas, pasase lo que pasase.

Efectivamente, tomaron sus medidas, hicieron sus cálculos, echaron sus cuentas, dejaron que pasase el tiempo que sobraba, y un buen día, el día de San Luis, rey de Francia, dieron el golpe: el golpe gordo, según decía Madureira.

La cosa estaba bien pensada; Serafín iría como todas las tardes, tomaría su taza de café con leche y les hablaría del demonio, y Madureira llamaría a la puerta preguntando por él; subiría —con la cara tapada— y amenazaría a las dos viejas con matarlas si gritaban; Serafín haría como que las defendía, y entre los dos, se las arreglarían para encerrarlas en un armario ropero que estaba en el pasillo y de donde las sacaría Serafín, muy compungido, al final de todo.

Sólo quedaban dos problemas por resolver: la mulata Dolorosa y el interrogatorio que le harían a Serafín. A la primera acordaron ponerle una carta dos días antes desde Valença do Miño, diciéndole que fuese corriendo, que su hermana Ermelinda se estaba muriendo de lepra, que era lo que le daba más miedo, y en cuanto al segundo decidieron, después de mucho pensarlo, que lo mejor sería dejarlo atado y amordazado, y que dijese al juez, cuando le preguntase, que los ladrones eran dos; las viejas tendrían que resignarse a quedar encerradas en el armario, pero no se iban a morir por eso.

Tal como lo pensaron lo hicieron.

Cuando doña Digna le abrió la puerta a Serafín, tirando de la cadenita que iba todo a lo largo de la escalera, creyó oportuno disculparse:

—¡Como Dolorosa no está! ¿Sabe?

—¡Ah! ¿No?

—¡No! ¡Como tuvo que ir a Valença a la muerte de su hermana!

—¿Ah, sí?

—¡Sí! Que la pobre está a la muerte con la dichosa lepra, ¿no lo sabía?

—¡Ni una palabra, doña Digna!

—Es que no somos nada, Ortiz, ¡nada! ¡Sólo aquellos que se preparan para el servicio del Señor...!

A Serafín le dio un vuelco el corazón en el pecho al oír aquellas palabras, porque le vino a la imaginación la figura del hijo. Era extraño; él no era un sentimental, precisamente, pero en aquel instante poco le faltó para salir escapando. Estaba como azarado cuando se sentó enfrente de las viejas, como todas las tardes, y delante de su taza de café con leche; una taza sin asa, honda y hermosa como la imagen de la abundancia.

Doña Digna continuó:

—Ya ve usted, Ortiz. ¡Quién había de pensar en lo de la pobre Ermelinda!

—¡Ya, ya!

—¡Tan joven! Cincuenta y un años acababa de cumplir. ¡Dios la acoja en su santo seno!

—¡Pobre...!

Serafín no sabía qué hacer ni qué decir. Se azaró, se quemó con el café con leche, que no había dejado enfriar, tosió un poco por hacer algo...

Doña Digna seguía:

—Ya ve usted, ¡no puede una estar tranquila!

Doña Perfecta, que hacía media debajo de la bombilla, se pasaba la tarde dando profundos suspiros, como siempre.

—¡Ay!

Doña Digna volvía a coger por los pelos el hilito de la conversación.

—Y como una ya no es ninguna niña... Créame usted, Ortiz; algunas veces me da por pensar que Dios Nuestro Señor es demasiado misericordioso con nosotras... Que nos va a llamar, de un momento a otro, al lado de nuestra pobre Basilisa...

Serafín tenía miedo, un miedo extraño e invencible, como no había tenido nunca... Pensaba, para darse valor: ¡mira tú que un carabinero con miedo!, pero no conseguía ahuyentarlo. Iba perdiendo aplomo, confianza en sí mismo... ¡Como Madureira no tuviese mayor presencia de ánimo!

Doña Digna no callaba.

—Y después el demonio, con sus tentaciones... ¡En el nombre del Padre, y del Hijo, y del Espíritu Santo, amén Jesús! Dicen que también los grandes santos sufrieron de tentaciones del Enemigo, ¿no cree usted?

Serafín parecía como despertar de un sueño profundo.

—¡Ya lo creo! ¡Y qué tentaciones; da horror sólo pensarlo!

Doña Digna empezaba a sentirse feliz. Ortiz, ¡sabía tantas cosas del demonio!

—¿Y recuerda usted alguna, Ortiz? ¡Usted siempre se acordará de alguna!

Serafín tenía que hacer un gran esfuerzo para hablar.

—¡La de San Pedro!

—¿San Pedro también?

—¡Huy, el que más!

—¿Y qué San Pedro era? San Pedro Apóstol, San Pedro Nolasco...

—¡Qué preguntas! ¡Qué San Pedro va a ser! Pues... ¡San Pedro!

—¡Claro! Es que una es tan ignorante...

Doña Perfecta, debajo de la bombilla, volvía a suspirar.

Doña Digna seguía acosando a preguntas sobre el demonio a Serafín. Y Serafín hablaba, hablaba, sin saber lo que decir, arrastrando las palabras, que a veces parecían como no querer pasar de la garganta, sin atreverse a mirarla, hosco, indeciso... Pensó despedirse y no volver a aparecer por allí; un secreto temor a Caga n'a tenda, un secreto temor que sin embargo no quería confesarse, le obligaba a permanecer pegado a la silla. Tuvo una lucha interna atroz; su vida, toda su vida, desde antes aún de marcharse a Cuba, se le aparecía de la manera más absurda y caprichosa, sin que él la llamase, sin que hiciera nada por recordarla, como si estuviese en sus últimos momentos...

Se acordó del general Weyler, pequeñito, valiente como un león, voluntarioso, cuando decía aquellas palabras tan hermosas de la voluntad.

Pensó ser valiente, tener voluntad.

—¡Bueno, doña Digna! ¡Usted me perdonará!

Sentía vergüenza de permanecer allí ni un solo instante más.

—Hoy tengo que hacer en el puente. ¡Mañana será otro día!

—¡Pero, hombre, Ortiz! ¡Ahora que me estaba usted instruyendo con su charla!

—¡Qué quiere usted, doña Digna! El deber...

—Pero, bueno, unos minutitos más... Espere un momento; le voy a dar una copita de jerez. ¿O es que no le gusta el jerez?

—No se moleste, doña Digna.

—No es molestia, ya sabe usted que no es molestia, que se le aprecia...

Doña Digna fue hacia el aparador; andaba buscando una copita cuando sonó la campanilla, ¡tilín, tilín! Doña Digna se incorporó.

—¡Qué extraño! ¿Quién será a estas horas?

Doña Perfecta volvió a suspirar:

—¡Ay!

Después dijo:

—¡Quién sabe si serán las del registrador! ¡Mira que no estar Dolorosa...!

Serafín estaba mudo de terror. Se sobrepuso un poco, lo poco que pudo, y dijo con menos voz que un agonizante:

—No se moleste, doña Digna; yo abriré.

Sus pasos resonaban sobre la caja de la escalera como sobre un tambor: bajó lentamente, casi solemnemente, apoyándose en el pasamanos. Doña Digna oyó los pasos y le gritó:

—¡Ortiz, puede usted usar el tirador! ¡Está ahí mismo!

Serafín no contestó. Estaba ya ante la puerta sin saber qué hacer; hubiera sido capaz de entregar su alma al demonio por ahorrarse aquellos segundos de tortura. Arrimó la cara a la puerta y preguntó, todavía con una leve esperanza:

—¡Quién!

—¡Abre! ¡Ya sabes de sobra quién soy!

—¡No abro! ¡No me da la gana de abrir!

—¡Abre, te digo! ¡Ya sabes, si no abres!

Serafín no sabía nada, absolutamente nada, pero aquella amenaza le quebró la resistencia; aquella resistencia fácil de quebrar porque estaba más en las manos que en el corazón. Caga n'a tenda le tenía dominado como a un niño, ahora se daba cuenta...

Abrió. Caga n'a tenda, contra lo convenido, no traía la cara tapada; se le quedó mirando fijamente y le dijo, muy quedo, con una voz que parecía cascada por el odio:

—¡Hijo de la grandísima...! ¡Ni eres hombre, ni eres nada! ¡Tira para arriba!

Serafín subió; iba en silencio, al lado del portugués, y los pasos de ambos sonaban como martillazos en sus sienes. Doña Digna preguntó:

—¿Quién era?

Nadie le contestó. Se miraron los dos hombres; no hizo falta más. Caga n'a tenda miraba como debieron mirar los navegantes de la época de los descubrimientos; en el fondo era un caballero. Serafín Ortiz...

Caga n'a tenda llevaba un martillo en la mano; Serafín cogió un paraguas al pasar por el recibidor.

Doña Digna volvió a preguntar:

—¿Quién era?

Caga n'a tenda entró en el comedor y empezó un discurso que parecía que iba a ser largo, muy largo.

—Soy yo, señora; no se mueva, que no le quiero hacer daño; no grite. Yo sólo quiero las peluconas...

Doña Digna y doña Perfecta rompieron a gritar como condenadas. Caga n'a tenda le arreó un martillazo en la cabeza a doña Digna y la tiró al suelo; después le dio cinco o seis martillazos más. Cuando se levantó le relucían sus colmillos de oro en una sonrisa siniestra; tenía la camisa salpicada de sangre...

Serafín mató a doña Perfecta; más por vergüenza que por cosa alguna. La mató a paraguazos, pegándole palos en la cabeza, pinchándole con el regatón en la barriga... Perdió los estribos y se ensañó: siempre le parecía que estaba viva todavía. La pobrecita no dijo ni esta boca es mía...

Saquearon, no todo lo que esperaban, y salieron escapando.

* * *

Serafín fue a aparecer en el monte Aloya, con la cabeza machacada a martillazos. De Caga n'a tenda no volvió a saberse ni palabra.

El revuelo que en el pueblo se armó con el doble asesinato de las señoritas de Moreno Ardá, no es para descrito.

CLAUDIUS, PROFESOR DE IDIOMAS

I

Me dio un vuelco el corazón cuando supe que Claudius, profesor de idiomas, era mi viejo y entrañable amigo de los meses de Rotterdam, Claudius van Vlardingenhohen, a quien yo en un tiempo tanto quise y admiré.

A Claudius lo conocí en Rotterdam, precisamente, el año 34, con motivo de una reunión de veterinarios a la que fui invitado por su presidente, M. Paul Antoine de l'Aparcerie, un bretón calvo y ventrudo, que era amigo de mi familia y había sido socio industrial de un tío mío en no sé qué contrabando por los campos del Miño.

Claudius estaba de permiso y se pasaba el día deambulando para arriba y para abajo, las manos en los bolsillos del abrigo y la cabeza descubierta. Recuerdo que la primera vez que lo vi, ensimismado y casi sonriente, fue en el puerto, mirando cómo descargaban unas cajas del *Monte Athos,* un vapor griego, sucio y lleno de mataduras, que venía de Bremen. Yo hubiera jurado que era un profesor de ética o de literatura; no sé por qué, pero me parecía que sus noches deberían estar dedicadas al estudio y a la lucubración. Cuando me dijeron que era el verdugo de Batavia, en las Indias Neerlandesas, sacudió todo mi cuerpo una extraña sensación entre chasco, desilusión y sorpresa.

—¿Pero es ese?

—Sí, señor; pero es afable y dulce, ya verá usted. Por los españoles siente una gran admiración; yo le oí, hace ya años, una conferencia en la Sorbona y pude percatarme bien a las claras. La tituló..., no recuerdo bien..., algo así como *Aportación al conocimiento de los espesores de la piel del cuello en la especie humana,* y de ustedes hizo un cumplido elogio. Verá, venga, que se lo presente.

Su sonrisa era clara como una fuente, su bigote intentaba vanamente dar a su faz un aire misterioso, y sus ojos, de un azul purísimo, tenían un inefable aire de nostalgia; parecían los ojos de un joven poeta marinero que hubieran quedado clavados, con su corazón, en cualquier punto de los lejanos mares del Sur.

—La vida, amigo mío —me dijo a renglón seguido de la presentación—, está toda ella rebosante de amargas decepciones.

28

—Cierto —le respondí sentenciosamente y no muy convencido.

—¡Y tan cierto! Ya ve usted, hace un rato yo me decía: Claudius, si sabes de dónde viene este barco te compro medio kilo de salchichas, y me respondía por lo bajo: de Liverpool. Pues ya ve usted, pregunto finamente a un marinero: ¿verdad que vienen ustedes de Liverpool?, y me responde con sequedad: ¡no!, ¡de Bremen! ¿Usted cree que esto es justo?

—No.

—Naturalmente que no.

Claudius se quedó un instante parado mirando para el barco; su ademán era más misericordioso que solemne, más humilde y apabullado que retador y colérico.

—¿Ve usted aquel marinero de la camisa blanca que cojea un poco?

—Sí, señor.

—¡Pues ese fue!

—Es terrible.

—Ya lo creo. Pero no para ahí todo. Después de mi fracaso quise reivindicarme y me dije: Claudius, si aciertas lo que va dentro de las cajas te compro medio kilo de salchichas.

—¿Otro?

—No, señor; el mismo. Yo entonces murmuraba para mí: esas cajas llevan maquinaria agrícola. Pregunté y, efectivamente, las cajas no llevaban maquinaria agrícola; llevaban lavabos. Creí desesperar.

Claudius mostraba, todo él, un gran abatimiento. Yo traté de reanimarle.

—Amigo Claudius —le dije—, le regalo a usted medio kilo de salchichas.

—No —me respondió con los ojos llenos de lágrimas—, no puedo decir que sí. Tendría que ofrecerle algo mío a cambio, y usted no aceptará. Tendría al menos que acertar en algo, que complacerle en alguna cosa.

—Véngase usted conmigo.

—¿Adónde?

—A la sesión de esta tarde del congreso de veterinarios.

—No puedo, amigo mío, y créame que lo siento; con gran dolor de mi corazón me veo obligado a decirle a usted que no puedo. Usted habrá podido observar que no le mentía cuando le aseguraba que la vida está toda ella...

—¡Llena de amargas decepciones!

—Exacto.

—¿Y a usted le violentaría mucho...?

—¿Acompañarle? ¡Espantosamente!

—¿Ni aun a cambio de medio kilo de salchichas?

—Ni aun así, amigo mío. Estuve una vez en el congreso y creí morir. Yo, ¿sabe usted?, soy nacionalista, ferozmente nacionalista. Para mí no hay nada mejor, ni más bello ni más grande que mi dulce país. Donde esté un buen queso holandés, que se quiten de en medio la muralla de la China, o la raza de guerreros de la Marca de Brandeburgo, o las glorias de Napoleón Bonaparte o, ¡perdone usted!, la catedral de Santiago de Compostela o las corridas de toros. Cuando empiezo a hablar de esto —dijo bajando la voz— no hay quien me pare; procuraré ser breve esta vez. Como le decía a usted, yo soy nacionalista. ¿Usted cree que hago mal?

—No, señor; hace usted perfectamente.

—Eso creo yo. Pues bien: ese es el motivo. Yo no puedo ir al congreso, porque enfermo. Yo no puedo tolerar que sobre la mesa de la presidencia se lea en aquella horrorosa pancarta y en cinco idiomas diferentes:

VETERINARIOS DE TODOS LOS PAÍSES,
¡UNÍOS!

Mi amigo Claudius estaba todo él iluminado como las cabezas de los santos en las estampitas.

—Creo honradamente —continuó— que a eso no hay derecho.

II

La segunda vez que lo vi fue en París, aquel mismo año. Me había refugiado en el hall del Mont Thabor, a oír un poco de español, cuando sentí que me llamaban con unos golpecitos en la espalda.

—¡Hola! ¿Cómo está usted? Yo soy Claudius, ¿no recuerda?, Claudius van Vlardingenhohen.

—¡Sí, hombre! ¿Cómo no voy a recordar? ¡Ya lo creo! ¿Y usted por aquí?

—Ya ve usted, a echar una canita al aire. ¡Rotterdam es tan aburrido!

—¿Pero usted..., ha evolucionado?

—¡Ah, no! Entendámonos: decir que Rotterdam es aburrido no significa que sea malo.

—¡Ah, vamos!

—Significa que la vida es apacible, sencilla; una vida de hogar, dulce y patriarcal, hecha para el descanso de los armadores... Y uno aún es joven, ¡qué caramba!, uno aún está de buen ver. Aquí lo paso muy bien; esto es una ciudad maravillosa. Por algo se llama la Ville Lumière, ¿no lo cree usted? Los bulevares son de ensueño; el Bois de Boulogne es encantador y el Moulin Rouge, con sus aspas llenas de bombillas, y Chez Maxim's...

—¿Usted va mucho al Moulin y a Chez Maxim's?

—No; no he ido jamás. No me atrevo a entrar; me da la sensación de que todo el mundo se va a quedar mirando para mí. Pero los veo por fuera. ¡Son tan bonitos! ¡Y Notre-Dame es monumental!, ¿no lo cree usted?

—Sí, sí.

—Y la Tour Eiffel. ¡Eso es un alarde de ingeniería, un verdadero alarde de ingeniería!

Se quedó un instante en silencio. Arrimó una butaca y se sentó.

—¡Oh, París, París! ¡Cómo enloqueces las mentes!

Claudius estaba sentimental. Lleno de entusiasmo como un escolar, parecía más que nunca un profesor de ética o de literatura; lo más que se podría sospechar de él es que fuera un profesor de filosofía del derecho.

—Yo aquí soy feliz —continuó—; siempre que puedo, hago una escapada a París. Me siento como el pez en el agua. Se nota una evidente placidez, un indudable sosiego en el espíritu deambulando, como un enamorado, por las orillas del Sena. ¡Se está tan bien, apoyado sobre cualquier puente, viendo pasar las horas y las misteriosas aguas!

Le atajé en su camino.

—¿Usted ha leído mucha literatura francesa?

—¡Mucha; sí, señor! —me respondió con entusiasmo.

—¿A Baudelaire, ha leído usted?

—Sí, a Baudelaire; creo que es genial.

—¿Y a Verlaine?

—También he leído a Verlaine, el único, el inimitable...

Hizo una leve pausa y continuó, casi pensativamente, dejando caer las palabras con una voz ronca y venenosa que me sobrecogió.

—Ese nombre trae a mi mente una serie de bellos y tremendos recuerdos... El ajenjo...

Le interrumpí.

—Habla usted como un poeta, amigo Claudius, como un verdadero poeta maldito.

—¿Lo dice usted de verdad?

—Absolutamente de verdad.

—¡Ah! ¡Es usted muy bueno! ¡España es un hermoso país!

El hombre quería corresponder y me piropeaba indirectamente; cada cual corresponde como mejor le parece, y esa fórmula, a Claudius, probablemente, le parecía inmejorable.

—¿Ha leído usted a Balzac?

—Sí; pero no me gusta; lo encuentro un poco pesado, un poco lento.

—Ya, ya le entiendo.

Mi amigo Claudius había arrimado otro poco su butaca y estaba ya casi encima de mí. Sus ojos le brillaban de gozo. Me miró y volvió súbitamente sobre sus palabras.

—España es un bello país; sí, señor. Se lo digo a todo el mundo.

—Muy galante.

—No; no es galantería, es verdad. Yo siempre lo digo, con ligeras variantes. Unas veces digo España, otras Serbia, otras Italia, otras Irlanda... La educación, amigo mío, ¡es algo tan olvidado por los hombres!

—Verdaderamente. ¿Y usted tiene muchos amigos españoles, serbios, irlandeses, italianos?

—¡Muchos, sí, señor! Tantos como he conocido. ¡Me agradecían todos de tal manera unas frases sobre sus lejanos países!

—Es que somos todo corazón, amigo Claudius; es que somos unos sentimentales incorregibles, ¿no cree usted?

—Hasta cierto punto, amigo mío. Yo creo que si ahondamos un poco, con lo que nos topamos es con que todos tenemos un denominador común; con que todos nos sentimos nacionalistas. Yo tenía un viejo proyecto...

—¡Siga, siga!

—No merece la pena, no tuvo éxito alguno... ¡Pero lo quise tanto!

Claudius tenía la mirada perdida en el vacío. Suspiró profundamente y continuó:

—En fin... ¡Dios lo ha querido!

—¿Y usted proyectaba?

—Yo proyectaba, ¡no se lo diga usted a nadie!, yo proyectaba un gran congreso al que serían convocados todos los nacionalistas del mundo. Las sesiones tendrían lugar en Rotterdam, que es una hermosa ciudad. El idioma...

III

A los dos meses me lo volví a encontrar por tercera vez. Cruzaba a toda prisa la plaza de la Concordia, saltando como un corzo, acosado por entre los taxis.

—¡Eh, Claudius!

—¡Adiós, adiós! ¡Voy con mucha prisa! ¡Voy a tomar el tren! ¡Vaya a verme; ya sabe: Binnenweg esquina a Crispynlaan! ¡Adiós!

—¡Pero, hombre, pare usted!

—¡No puedo! ¡Voy a tomar el tren!

Mi amigo iba cargado con unos paquetes de libros y accionaba con los codos.

—¡Voy a Rotterdam! ¡Adiós!

—¡Pero espere usted un momento, cuénteme algo!

Claudius pareció reaccionar y se paró a ocho o diez pasos para decirme:

—¿No perderé el tren?

—¡Hombre, no lo sé! Pero, después de todo, ¿qué más le da a usted perder el tren?

Como la faz del cielo cambia, en unos instantes tan sólo, en alta mar, cuando se navega ya por debajo del trópico, así cambió la faz de Claudius en aquella ocasión. Su rostro rubicundo recobró su habitual expresión; sus ojos se clarearon de nuevo y su bigote semejaba estar recién florecido.

—Me alegro de haberle visto, amigo mío —me dijo.

—¿Sí?

—Sí, iba preocupado. Esto de los trenes...

—¿Le da qué pensar?

—¡Espantosamente! Me paso el día echando cuentas. Las 17.50; bien, me pongo a calcular y digo: diecisiete menos doce, cinco; como cada hora tiene sesenta minutos, son las seis menos veinte. Yo ya me entiendo, pero lo malo es que casi siempre me equivoco.

—Ya veo. Pero no le dé usted importancia; véngase conmigo.

—¿Y el tren?

—¿A qué hora sale?

—A las 17.50.

—Aún tiene usted tiempo de sobra. Son ahora las 15.15.

—¿Qué son?

—Es fácil; las tres y cuarto.

A Claudius se le quitó un peso de encima.

—Si deja usted el viaje le invito a cenar en Maxim's —le dije.

Claudius tenía muchas ganas de quedarse. Se lo conocí en la única objeción que se le ocurrió hacerme.

—¡Es usted un demonio tentador! Pero, ¿y el billete?

—Acérquese un momento a la estación y véndaselo a cualquiera.

—¡Hombre, pues es verdad!

—Ande; yo le espero en la cervecería Jo-Jo.

—No, no corre prisa, me iré con usted; mañana por la mañana con más calma...

—No; tiene que ser ahora. Mañana por la mañana...

Salió corriendo sin dejarme terminar. Iba muerto de risa. Desde lejos me gritó:

—¡Ya he caído! ¡Ya he caído! ¡Ja, ja, ja! ¡Ya he caído! ¡Ya he caído!

A mis pies quedaron dos paquetes de libros. En uno me encontré con las *Noches florentinas* de Heine, los *Pensamientos* y el *Werther* de Goethe, la *Ética* de Kierkegaard y la *Aurora* de Nietzsche; en el otro aparecieron las obras completas de Tagore en ocho tomos, edición inglesa. Cuando regresó de vender su billete, se los devolví.

IV

En enero del 36 me lo encontré en Londres. Lo llevaban detenido por haber intentado bañarse en el canal de sir George Ducketts, a espaldas del parque Victoria. Fui a la embajada, hablé con un diputado de la oposición, pagué una multa de una libra y lo saqué a la calle.

—Ha tenido usted una mala ocurrencia; los ingleses no quieren admitir que a un extranjero se le ocurra una extravagancia.

—Sí, lo reconozco; he estado poco oportuno.

—Sí, muy poco.

Íbamos por la calle de la Escuadra abajo, camino del puente de Waterloo. La torre del Temple se recortaba confusa sobre la niebla del río.

—¡Tiempos aquellos! —exclamó.

—¿Cuáles?

—Los del apogeo. ¡Cuántas cosas podría contarnos esa torre!

Un nimbo siniestro rodeaba el viejo edificio. Claudius se mostraba abatido.

—¡Pobre María Estuardo!

Yo me sentí solemne; no lo pude evitar.

—¡Descanse en paz!

Hacía frío y Londres estaba desapacible. Cruzamos el puente y nos metimos en una taberna de la calleja Tennyson. Una moza con cara de golfa se nos acercó:

—¿Qué quieren tomar?

Claudius la miró a los ojos.

—Tila.

La criada y yo clavamos la vista espantadamente en Claudius. Tardamos unos instantes en reaccionar.

—No tenemos, señor; no la pide nadie. ¿Es usted francés?

—No.

La criada me miraba con aire suplicante.

—¿Usted?

—Cerveza.

—¿Y su amigo? —me preguntó bajando la voz.

—Nada, déjelo usted; está impresionado con la torre del Temple.

La muchacha se marchó y Claudius levantó los ojos de la mesa.

—Esa mujer me sobrecoge; vayámonos de aquí.

—Pero, hombre, estése usted quieto.

—No puedo, no puedo... ¡Y sin tila! Cuando me reconozca intentará asesinarme.

—¿Le ha hecho usted algo?

—No, pero me parezco mucho a un novio que tuvo hace cosa de un par de años, en Valladolid. Se llama Gilberto Poch Schneider; su padre era catalán y su madre alemana. Él había nacido en Palencia. Pura casualidad, solía decir. Sería una historia muy larga de contar.

La criada vino con mi bock, y Claudius volvió a dejar caer la mirada en la mesa, como distraídamente. Se le veía hacer inauditos esfuerzos por conservar la presencia de ánimo.

—¡Ah, John Keats, divino John Keats —murmuraba por lo bajo—, que no me dijiste la oración para este caso!

Yo mandé a buscar un médico. Claudius debía estar muy malo. Su pulso estaba alterado y sus ojos denotaban la fiebre.

La criada nos miraba desde el mostrador y sonreía. Quizá se figurase que Claudius estaba borracho...

Cuando llegó el doctor Twopenny, del asilo de Lunáticos, hubo hacia nosotros un espontáneo movimiento de simpatía en toda la taberna.

La taberna, como ya dije antes, estaba en la calle Tennyson.

Se llamaba The Toothpick, que en castellano significa el mondadientes. A su lado había otra que tenía un nombre más bonito, se llamaba The White Wasp, la avispa blanca.

Ahora me lo encontré en Madrid. Se me ocurrió aprender el alemán y busqué profesor. En la sección de anuncios por palabras de un diario de la mañana, vi uno que me pareció inteligente. Decía así: Claudius, profesor de idiomas. Conversación a cambio de acompañar comidas. Fui a la agencia; pregunté por el número 2.713 y me remitieron a una pensión de la calle de la Montera.

—¿El señor Claudius?

—Espere usted un momento, está acabando la clase de violín.

—¿Es también profesor de violín?

—No, señor; es alumno.

—¡Ah, ya!

Me senté en un viejo sofá que había en el pasillo. Al otro lado de la casa se oía un violín que interpretaba *Scherezada,* de Rimsky, de una manera un tanto fría y desapasionada; peor, desde luego, que Fritz Kreisler, el amigo de la señorita Estrella, la vecina de patio de mi amigo Samuel Amor López, quien me contaba los solos de gramola que su vecina se dio hasta que unos hombres vestidos de huertanos de la vega de Valencia se la llevaron en una caja, escaleras abajo...

El vuelo de mi imaginación me lo cortó la presencia de Claudius.

—¡Hola! —me dijo secamente.

—Pero... ¿Usted?

—Sí, amigo mío, ¿le extraña?

Me dio un vuelco el corazón en el pecho. No podía creer lo que estaba viendo.

—Pero...

—Sí, sí.

Los dos estuvimos a punto de llorar. Nos abrazamos y pasó sobre nosotros un largo rato de silencio.

—Nihil sub sole novum —me dijo.

—Por Dios, Claudius, no me hable usted así.

Volvimos de nuevo al silencio, un silencio tan embarazoso como consolador.

—Está usted un poco pálido, Claudius.

—Las preocupaciones, amigo; en Batavia, ¡debo tener tanto trabajo atrasado!

La patrona se interpuso entre los dos.

—Señor Claudius, ¿come usted lombarda?

En los salones del club, de extremo a extremo, rebotando en las cornucopias y en los espejos, enjugándose en las gruesas cortinas de terciopelo, la voz de Salvador Soto adquiría unas sonoridades de insospechado alcance.

—Yo estaba poseído de una intensa y casi santa fiebre, como un bracmán en oración. ¡Ah, difícilmente podréis haceros cargo de lo que representa ese estado para un imaginativo como yo! Las ideas afluían a mi mente lentas como los bosques y tiernamente concretas como las mujeres tibetanas...

Debemos advertir, de pasada, que Salvador Soto, aunque en el fondo era un buen muchacho, quizá un poco pelma, adjetivando resultaba un poco pedante e indefinido: tan indefinido y tan pedante, por lo menos, como un intelectual francés. La lentitud de los bosques y la tierna concreción de las mujeres del Tíbet quedaba tan vagarosa, tan sin explicar, como si de idéntico modo hubiera calificado a los secretarios de ayuntamiento o a las escurridizas y digestivas lubinas; es posible que no hubiera hecho falta más que el propósito y el ocurrírsele a tiempo. Seguiría sonriendo con el mismo desprecio, no dudéis...

Salvador Soto seguía perorando.

—... como las mujeres tibetanas, y yo las iba pegando a las cuartillas, una a una, descuidadamente, con esa indolente vehemencia con que —aunque os parezca mentira— son empujadas, al nacer, las obras que perduran. ¡Ah, pero ya es sabido! Pasa el tigre cauteloso lleno de delicados odios, la pérfida y callada serpiente que enfría los latidos del bosque, el monstruoso patriarca que es el elefante, y..., ¿os fijáis bien?, ¡nada ocurre! El bracmán continúa su eterna plegaria: la ofrenda, fuera del tiempo, de su oración; no se altera ni un solo músculo de su serena faz, y su corazón —aún no acelerado por la descarga de adrenalina que las sensibles glándulas suprarrenales de cualquier humano ya hubieran producido— continúa imperturbable. La fiera teme al fuego de su intenso mirar y acaba por retroceder, invadida del miedo. No lo olvidéis jamás: se teme siempre aquello que podemos referir a nuestra medida, al módulo según el cual regimos nuestras percepciones; tememos las neumonías y las inundaciones, los sabañones y los incendios, las disenterías, las fiebres tropicales o el zarpazo del oso de los hielos; pero no tememos, sin embargo, el fin del mundo, las precipitaciones de los astros, o una nueva versión de los ejemplares castigos bíblicos. ¡Nos parece todo tan extraño, tan lejano!

Salvador Soto paseó una mirada de triunfo por toda la tertulia. En aquel momento era intensamente feliz.

—Pero probad ahora a enfrentar al bracmán con un liviano, despreciable mosquito; depositad, si no, una diminuta pulga entre sus carnes enflaquecidas por la larga y rigurosa vigilia y su sábana ya rugosa, ya sobada, resobada y manchada por la distante muda. ¿Qué ocurrirá? ¡Ah! Ni uno solo de los bracmanes de las cuatro castas pudo jamás sufrir en la impasibilidad los embates de los minúsculos enemigos; desazonados, inquietos, impacientes, acaban por moverse. El tigre era lo único que necesitaba para su zarpazo cruel —un levísimo movimiento de aquella hierática fisiología—, y al bracmán, don Tancredo de la rumorosa jungla, tienen que acabar los demonios por buscarlo en la panza de la fiera.

Salvador Soto no parecía fatigado; no cabe duda que en el fondo era un hombre admirable. Cambió de voz para gritar ¡garçon!, una de sus bromas favoritas con los camareros, y pedir más coñac con seltz, y continuó perorando en medio del sepulcral silencio con que siempre era escuchado.

—Pues bien: a mí me sucedió lo mismo. Todos sabéis la lucha de titanes que con mi propia y violenta personalidad sostengo desde hace tantos años como ya tengo, menos cinco...

Una ligera tos y otra vez la triunfadora mirada del orador paseándose por encima de todas las cabezas.

—... ninguno de vosotros tampoco ignora ese cúmulo de circunstancias que, vanamente, bien es cierto, se obstina en intentar torcer mi inmarcesible destino. ¿Qué se ha conseguido contra mi firme postura? Nada, absolutamente nada. ¡Lo sabéis tan bien como yo! Y, sin embargo, un fútil motivo, una causa cuasi no eficiente...

Otra vez la mirada. ¡Qué noche!

—... logró sacarme de mis casillas con su persistencia.

Salvador Soto, que había estado en París, siguió toda la noche hablando sin cesar. Los que le escuchábamos no nos atrevíamos a interrumpirle y nos íbamos adormeciendo al arrullo de su palabra, monótona y fascinadora como el lejano y sordo rumor del mar. A última hora, cuando se callaba —tampoco él muy seguro de haberse divertido—, nos despertábamos semiinconscientes, como en esas tibias estaciones de madrugada, donde para el tren casi dormido que nos lleva a los lejanos campos familiares.

Al salir a la calle siempre había un miembro de la tertulia que decía al oído de otro, como confidencialmente:

—Estas reuniones son de una gran utilidad. Hay un cambio de impresiones, nos damos a conocer nuestros proyectos...

El otro no le hace caso; con el sombrero calado hasta las orejas, las manos en los bolsillos y el cuello del abrigo subido, otea el horizonte esperando un tranvía, el último tranvía de la noche.

EL LEÓN Y DON SEBASTIÁN

Don Sebastián Herrán es un viejo simpático, lleno de resonancias como la concha de un caracol marino. Barbudo, con los ojos claros y siempre vestido de luto, don Sebastián es uno de los puntales de la ciudad: casi, casi, una atracción para el turismo; más, desde luego, que una institución.

Don Sebastián habla con familiaridad de los personajes de la primera república y se extasía, casi se duerme, sobre los recuerdos del tiempo de don Amadeo.

Progresista, según él mismo asegura, y amante del orden y de la concordia, don Sebastián asiste —atónito— al espectáculo del mundo.

—Hay cosas que no me explico —suele decir—, cosas que yo creo que no se explica nadie.

Don Sebastián mata sus ocios escribiendo largas, meticulosas divagaciones para una revista de colombofilia que se edita en Huelva, y coleccionando —con todo primor— sellos de correos.

—Esto ha dejado de ser un oficio serio. Está el mercado plagadito de falsificaciones. En mis tiempos, era una cosa que ni nos pasaba por la imaginación; pero ahora... ¡Ahora ya ven ustedes lo que pasa!

Don Sebastián, con su pasito menudo y su libro de poesías de Campoamor debajo del brazo, va todas las mañanas —como no caigan del cielo chuzos de punta— a darse una vueltecita, un paseíto higiénico por el Retiro. Se acerca a la Casa de Fieras y se está las horas muertas contemplando al melenudo, asmático león; dándoles nueces y cacahuetes a los jolgoriosos, impacientes, bullidores monos; compadeciendo el cortado vuelo del cóndor de los Andes, metido en una jaula como un canario inmenso con cara de criminal.

Por las tardes, a primera hora, después del café, toma un taxi y se vuelve a ver los presos animales del parque.

—Ustedes pensarán lo que quieran: yo les aseguro que es un espectáculo aleccionador.

Su tertulia, en un viejo y desvencijado café de la Puerta del Sol, es como un remanso apacible de hombres de buena voluntad, ya viejos los más, casi todos ingeniosos, algunos incluso bromistas.

Y un bromista...

* * *

Fue un día cualquiera, un día como todos los demás, un día en el que se dijeron las mismas cosas, se tomaron los mismos cafés, se fumaron los mismos negros, ásperos cigarrillos.

En el viejo reloj de breves numeritos que había sobre el mostrador y que brillaba como brilla el azúcar sobre los bollos suizos, estaba a punto de sonar la hora en que don Sebastián, leal a su costumbre, iba a pedir el taxi de todas las tardes.

Don Sebastián miró para el camarero de siempre, y el camarero de siempre mandó al niño de todos los días en busca del coche.

Robertito, un empleado del catastro, que era de la misma piel del diablo, salió del café precipitadamente, sin despedirse de nadie. Se apostó en la acera y esperó la llegada del automóvil con el niño dentro. El chófer tenía cara de buena persona; parecía un contrabandista retirado.

Robertito se le acercó.

—Me alegro. Usted parece hombre de responsabilidad. Tiene que ayudarnos a dar fin a una buena obra.

—¿Yo?

—Sí, usted. Se trata de un amigo nuestro, de un pobre loco. Es bueno y pacífico, pero el desgraciado está como una cabra. No ataca nunca a nadie y da siempre buenas propinas. Sólo tiene un defecto: está convencido, plenamente convencido, de que es un león. Por más que le diga, usted no haga caso. Llévelo a la calle de Toledo, 202, a su casa. No se preocupe por nada más.

El chófer, con un gesto bondadoso, se limitó a replicar:

—Bien, bien; yo haré lo que me mande...

Robertito volvió a entrar en el café, el niño de siempre volvió, como siempre, a decir las palabras de ritual: don Sebastián, ¡el coche!, y don Sebastián, como siempre también soltó su: ¡Hasta mañana, señores!, de todas las tardes.

Salió a la acera. El chófer, receloso, se había apeado a abrir la puerta.

—¡Caramba, qué chófer más fino! —pensó don Sebastián.

Se sentó, carraspeó un poco y exclamó:

—A la Casa de Fieras, amigo conductor; lléveme a la Casa de Fieras.

Don Sebastián estaba jovial. El chófer lo miró por el espejito y sonrió.

—¡Pobre!

Soltó el freno, pisó el acelerador y se metió de cabeza por la calle del Correo, camino de la calle de Toledo, 202.

—Después de todo, es una obra de caridad —pensó.

Don Sebastián iba distraído. Al principio no se dio cuenta de nada. Pero al llegar a la plaza de Santa Ana, ¡ah!, al llegar a la plaza de Santa Ana, armó la gorda, ¡lo que se dice la gorda!

—¡Eh, oiga! ¡A la Casa de Fieras le he dicho!

—Sí, señor, sí.

El chófer pisó el acelerador.

—¿Está usted sordo? ¡Le he dicho que me lleve a la Casa de Fieras!

El chófer notó un ligero cosquilleo por dentro de la cabeza y empezó a ver globitos de colores danzando ante sus ojos. Tenía frío y el corazón le latía precipitadamente. Don Sebastián rugía:

—¿No me oye? ¿Se ha vuelto usted loco?

El chófer frenó en seco. En el mismo momento en que abría la portezuela para huir, vio venir sobre sus costillas el bastón de don Sebastián.

Los guardias del ministerio de Estado tuvieron que protegerlo; don Sebastián estaba furioso.

—Le he dicho que a la Casa de Fieras —les explicaba a los guardias a grandes gritos— y ya ven ustedes a dónde me ha venido a traer.

Los guardias se miraron desconfiadamente, y dijeron:

—¡Claro! ¡Claro!

Don Sebastián tuvo la sospecha de que eso es lo que siempre se dice a los locos.

En los departamentos individuales del sleeping —me resisto a emplear el término del tenis, ¡qué quieren ustedes!— se hacen siempre, o casi siempre, descubrimientos realmente importantes. Son muchas las horas que uno se pasa encerrado a solas con el camouflage del lavabo, mirándose en el espejo, poniéndose y quitándose el sombrero, chupando pitillos, pidiendo agua de Solares, con la única esperanza —¡la soledad, señora!— de que le sonrían a uno durante algunos instantes; a uno que suele ser huraño, señora, según dicen —decían ¡ay!— aquellas damas encorsetadas y orondas, visita de la familia, que siempre encontraban a uno muy crecido y casi siempre a uno le preguntaban asomándose al oído el agridulce: ¿Qué? ¿Ya con novia?, que tan colorados nos ponía.

Los años pasaron, las señoras también; nosotros crecimos todo lo que nuestro pellejo dio de sí y hoy... ¡Seamos optimistas, señora! Sin duda alguna hoy parece que fue ayer. ¿Y por qué no?

Pues bien; según creo, íbamos en lo de los sleeping. Sí.

Se sacan del bolsillo esas cartas que quedan siempre —quizás en contra de nuestra propia voluntad— sin respuesta, se saca también la vieja estilográfica del tiempo en que las plumas seguían teniendo forma de flauta, y se escribe:

Yo tenía una escopeta de caza. Era una escopeta de caza que daba gusto verla, con sus cachas de nácar, su gatillo de plata, sus dos cañones brillantes como la lata... aza... ácar... ata... ata... Bueno, dejémoslo; bien mirado, hasta hace bien, hasta parece algo así como una broma. Sigamos.

Mi escopeta de caza sólo tenía un defecto, un ligero defecto de orden moral; más bien una leve lacra de índole sentimental; con mi escopeta de caza, mi papá —¡hace luengos años ya!— mató a mi pobre mamá que, dicho sea de paso, nunca llevó una vida del todo feliz.

El hombre de la pluma piensa que todo va bien. A lo mejor acabamos de segar —con esa rueda, precisamente, que late debajo de nuestro asiento— el cuello a una criada de Guadalajara, a una criada que notó algún mareo, algún ligero vómito y prefirió —idea bastante generalizada entre criadas— el otro mundo a la deshonra. No importa.

El tren silba mientras uno vuelve a mirarse en el espejo. Ese espejo, como casi todos los espejos, se complace en hacernos mala cara.

Tampoco importa.

Mi papá, que se llamaba Raúl, como cualquier hermano marista francés, cargó con postas, dijo ¡ahora verás! y disparó sobre el corazón de mi mamá, que se llamaba Rosalía, como las lavanderas del Tambre.

Mi escopeta de caza, en cambio, se llamaba Juana, como mi niñera. La bautizó mi papá y yo, temeroso de falsear los designios de los muertos, le conservé el nombre casi, ¿por qué no decirlo?, con devoción.

Mi papá —creo que ha llegado ya el momento de aclararlo— murió hace dos años envenenado por un boticario amigo suyo y dejando en la más negra desesperación a mi antigua niñera Juana.

El tren se para. No sé dónde estamos. Por el pasillo, el monago crecido del restaurante suena su campanita.

En la mesa hay ya tres señores sentados. Parece ser que, gracias a Dios, no me conocen. El optimismo, sin embargo, pronto se esfuma. Poco dura la alegría en casa del pobre.

Uno de los señores me mira fijamente, impertinentemente.

Me dispara:

—¡Usted es C. J. C.!

—Sí, señor.

—Yo he leído algún libro suyo.

—Muchas gracias.

Otro señor me sonríe.

—¿Es usted editor?

—No, señor; debo confesarle a usted con pesar que no soy editor.

—¿Distribuidor?

—No, tampoco.

El señor pone un gesto de asombro.

—¿Entonces...?

Ensayo mi mejor sonrisa, la sonrisa que uso cuando voy de testigo a alguna boda.

—Yo, ¿sabe usted?, soy, ¿cómo decirle?, soy escritor.

El hombre me mira paternal. Los escritores solemos inspirar una lástima profunda.

—Ahora he leído una novela muy buena.

—¿Sí?

—Sí; *La incógnita del hombre,* de Alexis...

—Carrell.

—¡Ah! ¿Usted lo conocía?

Íbamos en Juana. Bien.

Debo confesar que nunca creí a Juana capaz de derramar tantas lágrimas por papá. Decía: ¡Ay, ay, que a Raúl se lo llevó la tierra, ay, ay! A mí, aunque al principio no me gustó que Juana apease el tratamiento a papá, me pareció ejemplar la imagen de la tierra y el noble sonido de los ¡ay, ay! En realidad, no era la primera vez que tal cosa oía; la tía religiosa de mi cuñada, un día que fuimos a verla al convento, se pasó la tarde diciendo lo mismo de los amigos que dejó en este mundo y que por entonces vagaban— ya deleitosos, ya atormentados— por los otros.

Levanto la cabeza. Pienso: el lector de Carrell era un humorista. Esta idea me fatiga; lo mejor será echarse; es ya tarde, tarde para el tren, se entiende.

El pijama debe estar en el neceser. Me quedo desnudo en el departamento. El pijama no está en el neceser. Me miro por última vez en el espejo. No estoy tan delgado, la barriga me hace hasta dos o tres plieguecitos.

Apago la luz; sí, el cuento no empieza mal del todo, esa es la verdad.

I

Todos los piojos de Alvarito el loco tuvieron mucho que aprender de lo que voy a relatar, y aún hoy, a los seis meses, al cabo de tantas generaciones, corre el sucedido por las costuras de la camiseta de Alvarito, de boca en boca de los piojos, como una enseñanza que no conviene olvidar, como una historia que para los tiernos piojitos de mayo construyeron los vetustos piojos de diciembre.

Alvarito tenía muchos piojos. Tenía piojos en la gorra, pequeñitos y color sangre; tenía piojos en la camisa y en la camiseta y en el calzoncillo, gordos y satisfechos y de color blanco; los del calzoncillo, que eran guerreros, no se trataban con los de la camisa y de la camiseta, que eran agricultores.

Los piojos del calzoncillo llevaban una vida azarosa y todos los días, cuando Alvarito se quitaba los pantalones, tenían ocasión de alardear de sus dotes estratégicas escapando a todo escapar a guarecerse en los más recónditos recovecos de la piel o de la ropa de Alvarito, no por miedo a éste, que era bueno y no les hacía daño, sino por miedo al frío, que los dejaba tiesecitos y duros como un grano de sal.

Los piojos de la camisa, en cambio, vivían tranquilos y apacibles, sin miedo al frío porque —que se recuerde— desde los lejanos tiempos de los primitivos colonizadores, Alvarito no se había quitado jamás la camisa.

II

—¡Ya le digo a usted que no tengo cama...! Las tres que tengo están ocupadas y hasta pasado mañana, por lo menos, no quedará ninguna vacía.

Pero como el señor Jacobo, el comerciante, no iba a dormir en medio de la calle, llegaron a un arreglo con Alvarito para que le dejase un pedacito de su cama.

III

Martínez era un piojo desarreglado y muy revolucionario. No encontraba de su gusto el pellejo de Alvarito y, lejos de conformarse, que era lo que la prudencia aconsejaba, estaba todo el día renegando y decía que no había Dios ni nada. A los piojitos jóvenes no les dejaban andar con Martínez, porque era un demagogo y un desagradecido, y ya sabemos todos lo propensa que es la juventud para dejarse minar por las teorías disolventes.

Martínez quería reglamentarlo todo. Quería que los piojos marchasen todos en la misma dirección; quería repartir las costuras con arreglo al principio de la autodeterminación; quería fiscalizar los cruzamientos para el rápido mejoramiento de su raza de guerreros.

IV

—¡La ocasión ha llegado, camaradas! ¡El señor Jacobo es un terreno virgen por explotar! ¡Es la tierra de promisión que ha llegado a nuestros alcances para que en ella nos asentemos y en ella organicemos, racionalmente, nuestra vida futura!

Martínez se secaba las gruesas gotas de sudor que corrían por su frente.

—¡No hagáis caso de lo que os dicen esos carcamales del senado! El agradecimiento..., ¿qué es el agradecimiento?, ¿qué tenemos nosotros, piojos libres, que agradecer a ese agotado continente que es Alvarito?

V

Martínez se consolaba de no haber hecho ni un solo adepto con la satisfacción que sentía paseándose a sus anchas por la barriga del señor Jacobo.

—¡Estos son horizontes! —decía—. ¡Preparémonos para empezar una nueva vida de regeneración!

Y se dejaba deslizar, como si estuviese patinando, por la tersa piel recién conquistada...

VI

El señor Jacobo era un ser de extrañas costumbres. No bien empezó Martínez a explorar el nuevo terreno, el señor Jacobo saltó de la cama y se puso en pie en medio de la habitación, completamente desnudo.

—¡Qué frío! —decía Martínez en voz alta, como para convencerse—. ¡No se ha hecho el mundo para los débiles de espíritu! ¡Quien algo quiere..., algo...!

No pudo acabar la frase porque la sangre se le heló en el corazón. Intentó agarrarse con sus patitas al suelo, pero el suelo era liso y resbaladizo y sus pasos no prendían. Quiso aconsejarse serenidad, pero temblaba como si tuviera fiebre.

Estaba sobre una inmensa losa, rosada como la piel, pero lisa como el cristal...

Martínez cerró los ojos. No quiso verse temblar en la hora final y prefirió esperar a que las dos uñas del señor Jacobo, el comerciante, que no iba a dormir en medio de la calle, se encontrasen sobre su cuerpo, esbelto y blanco —¡bien es verdad!—, pero impotente y flaco para oponerse a los designios de la Divina Providencia.

Dada la finalidad docente de mi trabajillo (inspirado —nada más que inspirado, bien es cierto— por la más consecuente de las antipatías: la que profeso, incansablemente, a todos los cómplices en el fallido —¡loado sea Dios!— asesinato de mi infancia y de mi adolescencia), es por lo que me permito usar esta mecánica nemotécnica de maestro de escuela que hoy ofrezco a mis lectores.

Veamos.

El señor profesor.—Señor Cela, don Camilo José... ¡No enrede usted! ¡A ver, demuestre usted su preparación en el tema de hoy! ¡Recítenos la lección!

El señor Cela, don Camilo José, a voz en grito.—Miño, Duero, Tajo, Guadiana...

El señor profesor, interrumpiendo.—¡Alto, alto! Debería usted comenzar diciendo: los ríos de España, si bien no demasiado importantes... ¿O es que no lo recuerda usted? ¡Es usted un papagayo! ¡Eso, un papagayo!

Esos niños repugnantes que, después, de mayores son gordos y blancos, sonreían con la sonrisa de ganar puntos de conducta. El señor profesor, animado por su éxito, por ese éxito en el que no debiera dudar, ya que jamás le falla, sigue en su invectiva.

—¡Y un fonógrafo también! ¡Eso, un fonógrafo!

Los niños de los puntos de conducta ríen ahora a carcajadas. A la salida, empezarán a decir que si tal y que si cual y que si patatín, que si patatán. ¡Así es la vida!

A los pocos días, el señor profesor insinúa dulcemente al señor Benítez:

—Señor Benítez, don Federico. Sustracción de números decimales.

El señor Benítez, don Federico.—Para la resta de decimales se han de colocar los datos de modo que correspondan...

El señor Benítez siguió hasta el final diciendo vaciedades. Después paseó su mirada de triunfo por el aula... Le dieron diez puntos. En su recuerdo escribo yo estas líneas. Y las que siguen.

Los pedagogos se distinguen de los que, gracias a Dios, no lo somos todavía, en una serie de detalles evidentes, si bien no numerosos, que podemos enunciar como sigue:

1.º   Visten de negro, como los huertanos valencianos y los empleados de las funerarias.

2.º   Tienen mayor acidez de estómago que el resto de los españoles, que ya es decir.

3.º   No se lavan los dientes.

4.º   Escupen salivitas al hablar.

5.º   Desearían la muerte, entre horribles tormentos, a los niños a quienes se les ve en la cara que no han de ser gordos y blancos jamás.

Pues bien: un pedagogo, un auténtico pedagogo vestido de luto, con cara de ácido clorhídrico y con los dientes poblados de hongos, algas y líquenes; un pedagogo que al hablarme me hacía recordar mi origen marinero, y en cuya cara veía yo el designio cierto de sus intenciones respecto a mi salud, fue el autor del libro. Estaba radiante en medio del escaparate, con sus tapas de color chocolate y sus apagadas letras góticas verdes; estaba bien situado, a la derecha de un tomito azul en el que se leía:

CAPITÁN GILSON
LA SALUD POR EL EJERCICIO

y a la izquierda de un volumen en rústica en cuya tapa podía leerse:

SEBASTIÁN IZQUIERDO AMOR
LA CRÍA DEL CERDO

Era breve y enjundioso (según me dijeron) y contenía todo un sistema de doma por él inventado y patentado. Los que, como yo, fuimos en nuestros tiernos años domados a palos, más como los caballos de los circos que como los caballos corrientes y molientes, gozábamos de mirar a hurtadillas para el escaparate. Nunca nos atrevimos a comprar un ejemplar; nos daba vergüenza, una vergüenza que no podíamos vencer, la misma vergüenza que nos daría una complicidad equívoca con el librero... Nos conformábamos con sonreír al leer:

HERMINIO MARTÍNEZ
LA EDUCACIÓN DE LA INFANCIA

porque, aunque habíamos sido muy mal tratados, nos limitábamos, honradamente, a no saludar por la calle a nuestros maltratadores y a compadecer a los que ahora tienen —¡todavía!— la edad que nosotros tuvimos.

Que eso es lo que nos diferencia de los pedagogos, que sienten justamente lo contrario porque es más fácil.

II.
Cuentos al natural

A la señorita Esmeraldina Conejo, en el arte Esmeraldina de San Martín de Valdeiglesias, que pintaba dalias y siemprevivas del natural. Ahora es ya mayor y regenta un prostíbulo en Ceuta.

1

Juan se despide de Josefita Domínguez y va hacia el café de donde lo echaron el día anterior por no pagar.

—Me quedan ocho duros y pico —piensa—, yo no creo que sea robar comprarme unos pitillos y darle una lección a esa tía asquerosa del café. A Josefita le puedo regalar un par de grabaditos que me cuestan cinco o seis duros.

Toma un 17 y se acerca hasta la glorieta de Bilbao. En el espejo de una peluquería se atusa un poco el pelo y se pone derecho el nudo de la corbata.

—Yo creo que voy bastante bien...

Entra en el café por la misma puerta por donde ayer salió, quiere que le toque el mismo camarero, hasta la misma mesa si fuera posible. En el café hace un calor denso, pegajoso. Los músicos tocan *La cumparsita,* tango que para Juan tiene ciertos vagos, remotos, dulces recuerdos. La dueña, por no perder la costumbre, grita entre la indiferencia de los demás, levantando los brazos al cielo, dejándolos caer pesadamente, estudiadamente, sobre el vientre. Juan se sienta en una mesa contigua a la de la escena. El camarero se le acerca.

—Hoy está rabiosa; si lo ve, va a empezar a tirar coces.

—Allá ella. Tome usted un duro y tráigame café. Una veinte de ayer y una veinte de hoy, dos cuarenta; quédese con la vuelta, yo no soy ningún muerto de hambre.

El camarero se quedó cortado; tenía más cara de bobo que de costumbre. Antes de que se aleje demasiado, Juan lo vuelve a llamar.

—Que venga el limpia.

—Bien.

Juan insiste.

—Y el cerillero.

—Bien.

Juan ha tenido que hacer un esfuerzo tremendo, le duele un poco la cabeza pero no se atreve a pedir una aspirina.

Doña Luisa habla con Ortiz, el camarero, y mira, estupefacta, para Juan. Juan hace como que no ve.

Le sirven, bebe un par de sorbos y se levanta, camino del retrete. Después no supo si fue allí donde sacó el pañuelo que llevaba en el mismo bolsillo que el dinero.

De vuelta a su mesa se limpió los zapatos y se gastó un duro en una cajetilla de noventa.

—Esta bazofia que se la beba la dueña, ¿se entera? Esto es una malta repugnante.

Ya en la calle, Juan nota que todo el cuerpo le tiembla. Todo lo da por bien empleado; verdaderamente, se acaba de portar como un hombre.

2

Félix, antes de ir a tocar el violín al café de doña Luisa, se pasa por una óptica. El hombre quiere enterarse del precio de las gafas ahumadas, su mujer tiene los ojos cada vez peor.

—Vea usted, fantasía con cristales Zeiss, doscientas cincuenta pesetas.

—No, no, yo las quiero más económicas.

—Muy bien, señor. Este modelo quizá le agrade, ciento setenta y cinco pesetas.

—No, no me explico bien; yo quiero ver unas de tres o cuatro duros.

El dependiente lo mira con un profundo desprecio. Lleva bata blanca y unos ridículos lentes de pinza.

—Eso lo encontrará en una droguería. Siento no poder servir al señor.

Félix se va parando en los escaparates de las droguerías. Algunas un poco más ilustradas, que se dedican también a revelar carretes de fotos, tienen, efectivamente, gafas de color en las vitrinas.

—¿Tienen gafas de tres duros?

La empleada es una chica mona, complaciente.

—Sí, señor, pero no se las recomiendo, son muy frágiles. Por poco más, podemos ofrecerle a usted un modelo que está bastante bien.

La muchacha rebusca en los cajones del mostrador y saca unas bandejas.

—Vea, veinticinco pesetas, veintidós, treinta, cincuenta, dieciocho —estas son un poco peores—, veintisiete...

Félix sabe que en el bolsillo no lleva más que tres duros.

—Estas de dieciocho, ¿dice usted que son malas?

—Sí, no compensa lo que se ahorra. Las de veintidós ya son otra cosa.

Félix sonríe a la muchacha.

—Bien, señorita, muchas gracias; lo pensaré y volveré por aquí. Siento haberla molestado.

—Por Dios, caballero, para eso estamos.

3

Juan se repone pronto, va orgulloso de sí mismo.

—¡Vaya lección! Ja, ja.

Juan acelera el paso, va casi corriendo, a veces da un saltito.

—¡A ver qué se le ocurre decir ahora a ese jabalí!

El jabalí es doña Luisa.

Al llegar a la glorieta de San Bernardo, Juan piensa en el regalo de Josefita.

—A lo mejor está todavía Rómulo en la tienda.

Rómulo es un librero de viejo que tiene a veces en su cuchitril algún grabado interesante.

Juan se acerca hasta el cubil de Rómulo, bajando a la derecha, después de la universidad.

En la puerta cuelga un cartelito que dice: *Cerrado. Los recados por el portal.* Dentro se ve luz, se conoce que Rómulo está ordenando las fichas o apartando algún encargo.

Juan llama con los nudillos sobre la puertecita que da al patio.

—¡Hola, Rómulo!

—¡Hola, Juan, dichosos los ojos!

Juan saca tabaco, los dos hombres fuman sentados en torno al brasero que Rómulo sacó de debajo de la mesa.

—Estaba escribiendo a mi hermana, la de Jaén. Yo ahora vivo aquí, no salgo más que para comer; hay veces que no tengo gana y no me muevo de aquí en todo el día, me traen un café de ahí enfrente y en paz.

Juan mira unos libros que hay sobre una silla de enea, con el respaldo en pedazos, que ya no sirve más que de estante.

—Poca cosa.

—Sí, no es mucho. Eso de Romanones, *Notas de una vida,* sí tiene interés, está muy agotado.

—Sí.

Juan deja los libros en el suelo.

—Oye, quería un grabado que estuviera bien.

—¿Cuánto te quieres gastar?

—Cuatro o cinco duros.

—Por cinco duros te puedo dar uno que tiene gracia, no es muy grande, eso es la verdad, pero es auténtico. Además lo tengo con marquito y todo, así lo compré. Si es para un regalo te viene pintiparado.

—Sí, es para dárselo a una chica.

—¿A una chica? Pues como no sea una ursulina, ni hecho a la medida, ahora lo verás. Vamos a fumarnos el pitillo con calma, nadie nos apura.

—¿Cómo es?

—Ahora lo vas a ver, es una venus que debajo lleva unas figuritas. Tiene unos versos en toscano o en provenzal, yo no sé.

Rómulo deja el cigarro sobre la mesa y enciende la luz del pasillo. Vuelve al instante con un marco que limpia con la manga del guardapolvo.

—Mira.

El grabado es bonito, está iluminado.

—Los colores son de la época.

—Eso parece.

—Sí, de eso puedes estar seguro.

Representa una venus rubia, coronada de flores. Está de pie, dentro de una orla dorada. La melena le llega, por detrás, hasta las rodillas. En la mano derecha tiene una rosa y en la izquierda un libro. El cuerpo de la venus se destaca sobre un cielo azul, todo lleno de estrellas. Dentro de la misma orla, hacia abajo, hay dos círculos pequeños, el de debajo del libro con un Tauro y el de debajo de la rosa con una Lira. El pie del grabado representa una pradera rodeada de árboles. Dos músicos tocan, uno un laúd y otro un arpa, mientras tres parejas, dos sentadas y una paseando, conversan. En los ángulos de arriba, dos ángeles soplan con los carrillos hinchados. Debajo hay cuatro versos que no se entienden.

—¿Qué dice aquí?

—Por detrás está, me lo tradujo Rodríguez Entrena, el catedrático de Cardenal Cisneros.

Por detrás, escrito a lápiz, se lee:

> Venus, granada en su ardor,
> enciende los corazones gentiles donde hay un cantar.
> Y con danzas y vagas fiestas por amor,
> induce con un suave divagar.

—¿Te gusta?

—Sí, a mí todas estas cosas me gustan mucho. El mayor encanto de todos estos versos es su imprecisión, ¿no crees?

—Sí, eso me parece a mí.

Juan saca otra vez la cajetilla.

—¡Bien andas de tabaco!

—Hoy. Hay días que no tengo ni gota, que ando guardando las colillas de mi cuñado, eso lo sabes tú.

Rómulo no contesta, le parece más prudente, sabe que el tema del cuñado saca de quicio a Juan.

—¿En cuánto lo dejas?

—Pues mira, en veinte, te había dicho en veinticinco, pero te lo dejo en veinte. A mí me costó quince y lleva ya en el estante cerca de un año. ¿Te hace en veinte?

—Venga, dame un duro de vuelta.

Juan se lleva la mano al bolsillo. Se queda un instante parado, con las cejas fruncidas, como pensando. Saca el pañuelo que pone sobre las rodillas.

—Juraría que estaba aquí.

Juan se pone de pie.

—No me explico...

Busca en los bolsillos del pantalón, saca los forros fuera.

—¡Pues la he hecho buena!

—¿Qué te pasa?

—Nada, prefiero no pensarlo.

Mira en los bolsillos de la americana, saca la vieja, deshilachada cartera de tarjetas de amigos, de recortes de periódico.

—¡Lo que faltaba!

—¿Has perdido algo?

—Los cinco duros...

IV

Félix coloca su violín sobre el piano, acaba de tocar *La cumparsita*. Habla con el pianista.

—Voy un momento al water.

Félix marcha por entre las mesas. En su cabeza siguen dando vueltas los precios de las gafas.

—Verdaderamente, vale la pena esperar un poco. Las de veintidós son bastante buenas.

Empuja con el pie la puerta donde se lee Caballeros: dos tazas adosadas a la pared y una débil bombilla de quince bujías defendida por unos alambres. En su jaula, como un grillo, una tableta de desinfectante preside la escena.

Félix está solo, se acerca a la pared, mira para el suelo.

—¿Eh?

La saliva se le para en la garganta, el corazón le salta, un zumbido larguísimo se le posa en los oídos. Félix mira para el suelo con mayor fijeza, la puerta está cerrada. Félix se agacha precipitadamente. Sí, son cinco duros. Están un poco mojados pero no importa. Félix seca el billete con su pañuelo.

Al día siguiente volvió a la droguería.

—Las de treinta, señorita, déme las de treinta.

Seamos honrados, señores, pongamos las cartas boca arriba. Yo de mí tengo que decir que no soy hijo de ningún amor, ni siquiera de ese amor no sancionado por la ley del que hablan los periódicos, sino de la lujuria de una cabeza de partido judicial y de la cachondez de mi madre. A duro el salto, más barato que en la remonta. Soy hijo. ¡Bien! ¿Para qué seguir? No me avergüenza mi origen, ya que no ha sido culpa mía. Sé leer y escribir lo suficiente para pelear y el miedo lo he perdido hace ya muchos años. Me llamo Jerónimo Expósito, como todos sabéis, tengo veintiocho años y soy de aquí, de Almendralejo. He perdido un ojo de la cara por la patria y dos dedos de la mano por la guardia civil; con un ojo y los ocho dedos que me quedan, soy todavía capaz de dejar ciego o manco a cualquiera. Mi proyecto ya sabéis cuál es, echarme al mundo con un puñado de hombres detrás de la gloria y del dinero. Con once hombres me basta, once y yo doce, una docena. El que quiera que se apunte; ya sabe: el nombre, el sitio, los años y el oficio. El que sepa escribir que eche una firma; el que no, que ponga el dedo y una cruz. No quiero sentimentales ni valencianos. Ahí tenéis el papel.

La taberna de Jesús Conejo era estrecha, fría y baja de techo. El dueño, de codos sobre el mostrador, atendía en silencio al discurso del capitán. Su mujer, la Paca, a quien en el pueblo llamaban Culebra, por mal nombre, se estaba lavando los pies en una tina al fondo de la tienda; silbaba por lo bajo unos compases de una polca que había estado de moda quince años atrás.

En el local no había más luz que una bombilla de veinticinco bujías. Eran ya las diez y media de la noche. El viento silbaba en las ventanas y en el tejado.

En tres o cuatro mesas juntas, un grupo de hombres tenía los ojos clavados en el capitán.

—Ahí tenéis el papel, el que quiera que se apunte. Yo me voy a ver a la Rosa, estaré de vuelta dentro de una hora.

El capitán se marchó, estuvo una hora con la Rosa y, al volver, se encontró la taberna vacía.

Sobre una mesa y sujeta con un vaso, había una lista que decía, con unos caracteres variados, toscos y decididos, lo siguiente:

1. Papiano Grillo Pampín, alias Grillo, Órdenes (Coruña), 45 años, cantero. Una cruz y un dedo.

2. Claudino Suárez Rey, alias el Minero. Mieres (Asturias), 20 años, cantero. Firmado.

3. Abilio, Palencia, alias Culoblando, 33 años, confitero, también sabe de cante y baile. Una cruz y un dedo.

4. José Caudete Caudete, alias Guerrita, 41 años, dependiente de comercio. Firmado. Es de Jaén capital.

5. Fulgencio Gómez López, alias Pincho, Cartagena, 19 años, no tiene oficio. Firmado.

6. Enrique García Escudero, alias Pernalete, 55 años, porquero, Almendralejo. Una cruz y un dedo.

7. Rafael Heredia, alias Colmenero, cantador. Firmado.

8. Cipriano Gori Altuna, alias el Francés, 39 años, Bilbao. Firmado.

9. Carlos Gil Grande, alias Rabo, 36 años, factor de ferrocarril. Almendralejo. Firmado.

10. José Huelves Tomás, alias Filete, 30 años, cerrajero. Almendralejo. Firmado.

11. Salustiano Porcano Mediano, alias Chevrolet, 50 años, mecánico, San Fernando de Jarama (Madrid). Firmado.

El capitán cogió el papel y lo leyó de arriba abajo.

—¡Buena gente!

Sonrió levemente, guardó la lista y se sentó a liar un pitillo. Lo fumó con calma, con parsimonia. El tiempo pasó de prisa y a Jerónimo, dormido sobre la mesa, vino a despertarlo el dueño, Jesús Conejo.

—¡Capitán!

—¿Qué hay?

—¡Pues que me voy contigo!

—¿Y tu mujer?

—Mal.

—¿Mal?

—Sí. Cuando se lo dije se tiró de la cama y se escagarrió en la bacinilla. Después estuvo llorando como una monja. ¿Y el vino, decía, quién va a ir a comprar el vino? Yo me voy, ¿qué quieres? Cada uno es cada uno, es como Dios lo haya hecho.

El capitán lo miró de los pies a la cabeza y lo apuntó.

—Somos trece, al primero que me gamberree me lo cargo, ¿estamos?

—Estamos.

—¿Sabes de cuentas?

—Sí.

—¿Mucho?

—Bastante, las cuatro reglas.

—¿Y el interés?

—No, el interés no.

—Bueno, es igual. Tú vas a llevar los cuartos y a apuntar lo que se gaste. Cuando quede poco, avisas. ¿Estamos?

—Estamos.

—Y antes pones: Cuentas del capitán Jerónimo Expósito, ¿entendido?

—Sí.

—Pues así: Cuentas del capitán Jerónimo Expósito, y después puedes poner si quieres, que siempre hace bien: las lleva al día Jesús Conejo, por el procedimiento de la partida doble.

El tabernero y el capitán siguieron hablando toda la noche de asuntos administrativos. Los primeros clarores de la mañana los cogieron sobre la mesa, haciendo números.

La Paca sollozaba en la cama.

—¿Y el vino, quién va a ir ahora a comprar el vino?

En la estación, en la lampistería, jugaban al mus el Rabo, Chevrolet, el Grillo y Pernalete. Culoblando cantaba por lo bajines unas guajiras del Niño de Ayamonte. El Pincho contaba lo de Isaac Peral al Guerrita y al Minero.

Colmenero, el Francés y Filete dormían en unos bancos.

La banda estaba reunida, esperando la orden.

El jefe y el cajero, mano a mano, daban los últimos toques a la empresa.

Había una vez, a lo mejor hace ya muchos años, muchísimos años, un viajero irlandés, comilón, andarín, bebedor y gordinflón, que se llamaba de nombre don Walter.

Don Walter poseía un humor excelente y todas las sabidurías antiguas. Don Walter conocía la ciencia de las estrellas, entendía el lenguaje de los pájaros, sabía tocar el violín y hablaba el español. Don Walter distinguía el chorizo de Burgos del chorizo de Pamplona, los vinos de dos cepas hermanas, los trigos de dos eras separadas tan sólo por un río, los atardeceres de dos días idénticos a una legua tan sólo de camino. Don Walter tenía también unas ansias enormes de descubrir el mundo cada mañana.

Un día, un día cualquiera, llegó hasta la costa de Hendaya y le dijo a un barquero:

—¿Cuánto me llevas por pasarme hasta España?

Y el barquero le respondió:

—Dos pesetas, señor.

Don Walter miró el paisaje de alrededor, miró para el mar azul y las colinas verdes de la tierra, y añadió:

—Bien. Te daré cuatro pesetas si vas despacio, no llevo prisa ninguna, tengo toda mi vida por delante.

El barquero soltó los remos y se puso a hablar con don Walter. Le contó historias de contrabandistas de Irún y de St. Jean de Luz, de alijeros de Fuenterrabía y de Urrugne y de Espelette, de marineros de Pasajes y de Capbreton.

Don Walter desembarcó en la playa de Fuenterrabía. Cogió su macuto, su bastón y su violín y entró en la ciudad. Aquel día hizo tres descubrimientos: la cocina del aceite de oliva, los niños más alegres, más triscadores, más anárquicos del mundo, y los mendigos como institución. Don Walter llevaba el ánimo dispuesto para rociar las cosas y las personas de ternura, de una infinita ternura.

Tiró por el camino —Fuenterrabía ya casi a las espaldas— y se encontró con un buhonero parlanchín y lleno de resignación.

—Aquí no se saca ni para pagar la cama de la posada. ¿Adónde va usted?

—Voy a San Sebastián.

—Yo también. Haremos el viaje juntos.

El hombre de las baratijas llevaba un paso endiablado. Don Walter casi no podía seguirle. Pensó quedarse sentado en la cuneta, por donde corría un hilito de agua, echarse a dormir debajo de cualquier árbol del campo, pero una fuerza superior le hizo sacar energías de flaqueza, hacer de tripas corazón, y seguir dócilmente, casi con presteza, al primer amigo que la providencia puso en su primer camino español.

Ya se veían, a distancia aún, las luces de San Sebastián.

Al llegar a la ciudad —la medianoche sonando en las campanas de los relojes de la calle, esos relojes que tanto acompañan, casi siempre, pero que, a veces, tanto desasosiegan—, don Walter y su compañero de etapa se fueron a dormir: una habitación abuhardillada, el hospedaje; dos camas sin hacer, el lecho acogedor, y un aguamanil de hojalata para lavarse la cara al día siguiente. En el fondo de la jofaina, una mosca nadaba, moribunda, en dos dedos de agua sucia. En el suelo, polvo, y en las paredes, mugre. Una conciencia optimista en un cuerpo rendido. Don Walter durmió doce horas de un tirón.

Lo despertó su amigo —a la vuelta ya de una excursión sobre el asfalto, en pos de las criadas presumidas y de las señoritas con poco dinero—, que se había levantado varias horas atrás, con los gallos del alba.

—¡Arriba, holgazán!

Don Walter inició, no más, una ligera protesta y se levantó. Los dos salieron a la calle.

El vendedor de cintas y de collares, de alfileritos de gruesa cabeza de vidrio de color, de perlas falsas y de culos de vaso engarzados en estaño, de pomadas para las bellas, y azules y sonrosados y amarillos papelitos en los que se predice, ¡tan sólo por diez céntimos, señor!, el porvenir, enseñó a su amigo don Walter los cafés de la ciudad.

—Acuérdate de este; aquí podrás sacar un durito.

Más tarde, pensando en su marcha, en su caminar de cada día, y ahorrándole, queriéndole ahorrar a don Walter la soledad, el hombre le presentó al irlandés a un guitarrista gitano, el tío Lucas, un viejo bizco que se quejaba, casi sin decirlo, de la situación.

—A ver cómo te portas; es un amigo mío extranjero que no conoce el país y que quiere ganarse la vida tocando el violín.

El viejo casi ni levantó la cabeza.

—Poco puedo hacer... ¡Está todo tan revuelto!

El tío Lucas dejó caer sus palabras con mucha lentitud, diríanse las últimas gotas de un grifo que se cierra.

—Ya ves, hoy no he podido ni tomarme una copa de aguardiente.

Lo decía con una amargura profunda, con una amargura de histrión antiguo.

Don Walter pidió aguardiente, tres copitas de aguardiente.

El tío Lucas sonrió. El trato estaba abierto.

Don Walter se tomó su copa e hizo memoria. Sí, se acordaba de algunas palabras de caló.

—Tío Lucas, tenemos que ser amigos, yo también soy cañí, es de ley que me ayudes.

El tío Lucas se atragantó.

—¡Chavó! ¿Que tú eres romí? ¡Cualquiera te diría gitano con esa cara de payo!

Don Walter y el tío Lucas se dieron la mano. De romí a romí no había recelo. El trato estaba cerrado.

Con la noche, los dos amigos cayeron sobre las terrazas de los cafés. El viejo de los ojos bizcos organizaba la expedición: él sabía las esquinas estratégicas, él sonreía a las gentes mientras pasaba la gorra, él hacía una seña casi imperceptible a don Walter. Don Walter, obediente, se dejaba llevar...

Aquella noche —la primera noche en que su violín sonó en España— don Walter tocó en todas las encrucijadas de San Sebastián.

—Hoy te corresponde todo —le dijo el gitano a la hora de la retirada—; desde mañana iremos a medias.

Sobre el San Sebastián de la madrugada, llegaba a los oídos de don Walter el lejano murmullo del rompeolas.

EL PRODIGIO DE QUE UN NIÑO VIVA COMO UN SALTAMONTES

El niño que tiene el pelo rojo como la panocha; la panza, tensa y vacía como un tambor; la mirada, prematura y tiernamente siniestra; las orejas de soplillo; el ademán de gato sarnoso y acosado, es zanquilargo, pelón y algo bizcocho.

El niño no tiene ni padre, ni madre, ni perrito que le ladre. El niño come de milagro, duerme de prestado y vive de casualidad. A veces ni come ni duerme, y se limita a vivir lentamente, tímidamente, cautelosamente, como preocupado de no molestar a nadie.

El niño coge colillas que vende al peso, para hacer emboquillados, al señor Martín, un tío que tiene un puesto de gallinejas pasado el puente de Ventas, y que se ayuda, por eso de que la vida está mal, con lo que puede, y todo lo que puede hacer no se puede decir; o busca taxis al galope para los señoritos que van con una gachí (los que van solos con una cartera debajo del brazo, no merecen la pena porque no dan más que treinta), saltando por entre los tranvías como un gorrión; o lleva recados peligrosos, poniendo cara de tonto, a las chicas que tienen un padre feroz; o sube maletas a un sexto piso los días de restricciones; o va mirando para los alcorques de los árboles, por si acaso a alguien se le ha caído una peseta; o sonríe al frutero caritativo que siempre le da dos peras podridas...

El niño tiene cara de mujer sufrida y aficiones de hombre cascado: cuenta las perras con prontitud y buen estilo, juega el naipe con malicia, y pide clara con limón los días de fiesta, poniéndose de puntillas ante el pulido cinc del mostrador.

El niño, que tiene muy pocos años, ni sospecha siquiera que se pueda vivir algo mejor; para él, el hecho de subsistir es un cotidiano y repetido suceso que no se explica, y el ver salir el sol cada mañana por encima de los tejados como un gato orondo, luminoso y pletórico es, quizá, el signo de la vida más feliz. El niño, como se conforma con poco y nada pide, tiene todo lo que puede necesitar: una salud que no llega a quebrar con las tosecillas del invierno, un jersey marrón que aún tiene más lana que toperas, un pantaloncete de algodón con la culera de pana y unas alpargatas con piso de goma que, bien miradas, nó están mal del todo. El niño tiene también un grano en el cuello, cien pecas en la frente, en la nariz y en los carrillos, más pelo del preciso para pasar por limpio y una gazuza crónica despabilándole el vientre. El portugués del cuento, que tenía tratamiento de excelencia y que en sus tarjetas hacía constar que era expasajero de segunda clase del paquebote *Angola* y miembro del sufragio universal, no era más rico que nuestro niño.

El que el niño viva como un saltamontes, silbando de cardo en cardo, o a salto de mata, como un conejo, es un prodigio que la gente se empeña en no entender. Es el puro prodigio de las cosas que son porque sí o, si ustedes quieren, por la gracia de Dios; de las cosas que son exclusivamente así, como son, un poco sin causa y otro poco sin efecto también. Una matita de avena loca, con el viento batiéndole el cobre en el saludable trigal, es, quizás, algo muy parecido a nuestro niño, que tiene un corazón que late, unos ojos que miran, unas manos que tocan y un estómago que, por lo común, ayuna casi sin enterarse.

En el mundo de los niños prodigio, de los zagales ajedrecistas, o toreros, o pianistas, o directores de orquesta; en el limbo de los Arturito Pomar, de los Joselito, que mató vestido de luces a los doce años, de los Pepito Arriola o de los Pierino Gamba, el talentudo y último astro infantil, falta aún la butaquilla anónima del golfante desconocido, ese popular héroe a la fuerza, en cuyo pecho, casi olvidada, arde una llamita alimentada por un poco de rebeldía, algo de conformidad y bastante desconsuelo.

Ese niño que va en los topes de los tranvías y a veces luce en la testa el chichón del duro cajetín de lata del cobrador; que se baña en cueros, y sabe guardar la ropa, en el fluyente y manso canalillo; que torea automóviles al quiebro, y que tiene un raro entendimiento de todo lo prohibido, espera con paciencia a que una humanidad más generosa le permita lucir sus habilidades y sus mañas de buen arte.

Mientras tanto... Mientras niño se adiestra y se perfecciona, día a día, con buena aplicación. Y ya de hombre... Ya de hombre se olvida de sus precoces prodigios y se hace chófer de taxi, o notario, o carpintero, o cura. Los hombres somos algo inconstantes, algo veleidosos, algo cambiachaquetas. Es cosa que no sabemos evitar; que, en el fondo, tampoco queremos evitar.

III.
Cuentos entre tiernos y tristes

A Marta, que se distinguía de las tiernas bestias
en la tristeza, con tanta vergüenza como respeto.

En la casa, alta, grande, sombría, casi negra, sólo de tarde en tarde sopla el tibio vaho de la misericordia. La casa había sido levantada, setenta o setenta y cinco años atrás, por el padre de José, el viejo de hoy. En la casa enterró los dineros que hizo, Dios sabrá cómo, en los primeros años de su vida, y en la casa enterró también —todos, menos el juez, sabemos de qué manera— su conciencia, primero; su caridad, después, y su mujer, poco tiempo más tarde.

Corre de boca en boca por la comarca que, desde entonces, la charca sólo aúlla cuando por las noches se acuerda de los secretos que no puede revelar.

Al morir su madre, José tenía no más de cinco o seis años y la soledad le fue haciendo un espíritu taciturno, amante de la crueldad solitaria y de las largas horas viendo cómo el sol hace su recorrido; escuchando cómo las cañas de la charca se mecen en su delgadez; palpando cómo las nubes del cielo se entretienen en hacer y deshacer su propia figura.

José casó joven —recién muerto su padre— con una campesina de una aldea distante, y de su matrimonio nacieron cinco hijos. Los dos varones levantaron el vuelo en cuanto se hicieron hombres y sólo de tarde en tarde se les ve por la casa, chalaneando con su padre o con su cuñado, comprando algún potro. Las tres hijas —Juana, Dolores y Marta— jamás salieron del llano; eran como tres taciturnas palomas de corral con las alas cortadas, sin una ambición que las llevara hasta los cerros del sur, hasta el lejano robledal del norte, hasta los balcones del llano sobre el resto del mundo que, tercamente, se obstinan en ignorar.

Las dos hijas mayores casaron y enviudaron en poco tiempo y a las dos les quedó, como recuerdo de tiempos no muy felices, un hondo surco de maldad en el alma y una espesa nube de recelo en la mirada.

La mayor —Juana— se hizo mujer de un caminante que llegó a la puerta pidiendo un sitio al fuego para pasar la noche. La justicia se lo llevó a los cuatro meses escasos de llegar y de él no se volvió a saber jamás una palabra. Dicen que era francés, escapado de la Guayana.

A los cinco o seis meses de preso el marido, Juana tuvo un hijo a quien le puso Esteban, como su padre. Esteban es un niño de carnes fláccidas y medio enfermas, que mira fijamente, sin pestañear, a lo mejor durante horas enteras, para el más oscuro rincón; un niño que se pasa días y más días quejándose, sin acabar de llorar, como un hombre herido; un niño serio, en cuyos labios jamás se ve dibujada la sonrisa.

La segunda —Dolores— casó con un amigo de sus hermanos, quien la dejó abandonada al poco tiempo y fue a morir, atropellado por el tren, una noche que marchaba borracho por la vía. Se llamaba Martín —como Dolores puso al hijo que le dejó— y tenía fama de pendenciero por todo el contorno.

La pequeña —Marta— es la que lleva el peso de la familia. Casada, muy joven, con Ramón, diez o doce años mayor que ella, tiene ya tres hijas y un hijo y espera otro, que le abulta el vientre y le hincha los tobillos. Marta es feúcha y flaca, de lacio pelo y pálida color, y está sumisamente enamorada, con un amor que se parece mucho a la servil adoración, del marido, que corresponde a su manera, casi siempre cruel, siempre despectivo, sólo a ratos ablandado por fugaces ráfagas de ternura que acaban sonrojándole.

Sus dos hijas mayores —Luisa y Cecilia—, altaneras y atravesadas, tienen un empaque casi principesco y un mirar distante y como amenazador, mal perdido en sus desmedradas figurillas. El padre, a veces, también semeja un príncipe acobardado —todo el cuerpo encogido, menos la mirada— cuando la charca llama, por las noches, a quienes no pueden sobreponerse a la tentación.

La niña mayorcita guarda, entre unos trapos, un gorrión muerto y lleno de gusanos a quienes besa viciosamente, amorosamente; un gorrión que fue todo como una plumita llena de vida hasta que un día cayó en las manos que lo martirizaron, lentas y concienzudas, partiéndole el quebradizo pico entre risas contenidas y un caliente sonrojo por las orejas y por las ingles; sacándole los ojos con un alfiler, los ojos que rodaron por el suelo como dos arenillas y que con todo cuidado lavó la niña para poder guardarlos bien limpios, sin tierra alguna; oprimiéndole el breve pecho jadeante.

Cecilia ve hacer a su hermana y llora, casi con tristeza; es cruel, quizás más cruel que Luisa, pero no puede aguantar la crueldad en los demás. A Cecilia le gusta estar en la cuadra, horas y horas, silenciosa y como preocupada, pendiente de los recios movimientos del caballo, de los poderosos movimientos del toro, de los airosos movimientos del gallo. Cuando llega el mes de abril, Cecilia sufre como una transformación y la mirada se le alegra mientras un suave color de rosa se le posa en las mejillas. Entonces da largos paseos por las orillas de la charca, cortando florecillas que ofrece al toro del establo, al caballo de la cuadra, al gallo del corral, y cantando extrañas canciones que sólo entienden el aire, y los pájaros que se mecen en los mimbres y los insectos que se posan, un instante, sobre la piedra gris o verdecida.

La pequeña —Clara— es una niña rubia, seria, silenciosa, de una belleza serena y casi extraña, que juega sola, a la puerta de la casa, con su amigo el mastín, y en su mirada hay un hondo y casi confuso desprecio a todo lo que le rodea.

....

Nada importante parece haber sucedido y sólo el agudo llanto que viene del piso de arriba, llega a descubrir, levantando no más que una punta del telón, el alegre milagro.

Clara, de vuelta a la casa, se encuentra con la novedad del nuevo hermano. Clara se estremece ante lo maravilloso y una serie de raros pensamientos le asoman a la mente.

Clara recordó las bellísimas, y todavía tiernas y recientes, fantasías de la charca, e imaginó verdes y divertidas ranas, ya viejas, que saltaban al primer ruido, cómicamente, sobre las quietas aguas por donde navegaban, como corazoncitos de fango, los tiernos renacuajos de color gris claro.

Ella era ya una rana, si no vieja sí, por lo menos, ya saltarina, y su nuevo hermano, que gritaba como un condenado en el piso de arriba, era por ahora tan sólo un torpe renacuajo recién nacido.

Clara subió las escaleras y notó que los peldaños retumbaban, alegres, a cada pisada. Una, niño; dos, niña; tres, niño; veintidós, niña. Clara se acercó a la cama de la madre, pero a la madre no la encontró radiante, como esperaba, sino con un vago gesto entre de satisfacción y de tristeza. A su alrededor, con una seriedad como despreocupada, con un desinterés que Clara no llegaba a explicarse, sus tías —la mirada baja, el atuendo descuidado, el ademán soñoliento— esperaban a que sonase Dios sabe qué inútil hora. Al lado de la madre, bajo el embozo, el recién nacido, que ya había dejado de gritar, duerme como una pequeña y rugosa fruta colorada. La madre tiene los ojos llorosos fijos en los ojos —casi llorosos— de Clara, y ensaya una sonrisa a la que no consigue dar hermosura. La niña sonríe también, pero sin alegría; tiene la boca seca y en la garganta se le ha cruzado un nudo que le hace sufrir. Aquello no era lo que había venido pensando por el camino.

—¿Es niña?

—No; es niño.

Clara rompe a llorar alborotadamente, descompasadamente, violentamente, casi trágicamente. Sus tías levantan la cabeza.

—Niña, ¡estáte quieta!

La madre saca un brazo para acariciarla.

—¿Por qué lloras, hija mía?

Clara, que se ha acordado de repente de un millar de desdichas entre soñadas y presentidas, no sabe qué responder.

—Por nada...

La madre le alisa la cabellera, está cariñosa como nunca.

—No llores.

La niña la besa.

—Adiós, madre; me alegro mucho de tener otro hermanito.

A la madre se le llenan los ojos de lágrimas.

—¿Te vas ya?

—Voy a darle de comer a Mariano.

....

La madre, cuando Clara habló, se puso roja: brilladores, los ojos; palpitantes, las sienes.

Las tías se levantaron de pronto, enfurecidas como dos basiliscos, y golpearon a la niña.

—¡Víbora! ¡Mala víbora! ¡Que nos vas a matar a todos!

La niña escapa, despavorida, por las escaleras y se refugia en la cuadra. Al pasar por la cocina, su hermana le tiró la piel de una liebre recién desollada.

—¡Pellejo!

Al cruzar el zaguán, Clara vio al padre y al abuelo mirando, tras los cristales de la cerrada ventana, para el horizonte.

La cuadra está oscura y el pajar, que está encima de la cuadra, está más oscuro todavía.

Se oye la voz del hermano y el resoplar de las bestias, que tienen sed.

Clara sube la escalerilla del pajar y ve que sus ropas están manchadas de sangre. Se acerca al tragaluz, y se mira. Tiene el cuerpo como dolorido, pero no nota herida alguna; la sangre es de la nariz que le mana, abundante, como una fuente. Su tía le había pegado en la cara. Fue un golpe sordo, que le hizo temblar toda la cabeza, que le dejó un zumbido en los oídos...

Cuando el hermano bebe la leche —ávidamente, atropelladamente, como un hambriento cachorro— sonríe con un agradecimiento infinito reflejado en sus estúpidos y melancólicos ojillos grises. El niño tiene las manos delgadas, y pálido y como ceniciento el color. La niña le habla.

—¿Estás bien?

Y el niño no le contesta. El niño no sabe hablar, no sabe más que sonreír, con una boba sonrisa que mueve a la tristeza, y gruñir en voz baja, como un cerdo herido y moribundo, como una garduña del monte...

....

Mientras tiene pocos años, muy pocos años, Clara es la hija menor del matrimonio; poco más tarde, cuando nace —¡así no hubiera nacido!— Mariano, Clara pasa a ser como una madre a destiempo para él, a providencial destiempo para él. Mariano es hermano de Clara. La niña tiene siete años cuando Mariano viene al mundo, encanijado, sietemesino, con más vida, ciertamente, de la necesaria.

Al año escaso de nacer, cuando deja de mamar los secos pechos de su madre y, olvidado de todos, se debate como un perrillo en el oscuro pajar, Clara se pasa a su lado las horas muertas: jugando con él, secándole las sucias ropas, dándole de beber la olorosa, la campesina y tibia leche recién ordeñada. Sin ella, el niño hubiera acabado muerto de olvido y de hambre, pasto de las ratas y de las arañas.

El abuelo y las tías se ríen de Mariano; los primos aseguran que lo mejor es matarlo como a un gato, tirándolo a la charca; las dos hermanas mayores le odian de todo corazón, y los padres no quieren ni oír hablar de él: el padre, despectivo; la madre, irritada y avergonzada.

Hay razones de la sangre que nadie se explica y que cuentan, en cambio, como verdades ciertas sobre la vida de los hombres. Son atormentadoras razones a las que no se les ve ni el principio ni el fin, pero que acaban atenazándonos con sus duros garfios como atenaza un cepo al zorro que ya no puede huir.

Clara es la triste hada madrina de Mariano, su indefenso ángel de la guarda, y a su lado la caridad fue alimentando al desprecio y el odio decantándose casi hasta la misericordia. Clara es huraña con los suyos y gusta de caminar, solitaria, por el sendero de la charca que, perdido entre zarzas, dibuja rápidas culebrillas sobre la verde yerba.

Por él se la veía venir, niña aún, llenándose de margaritas el delantal y la mirada de alegría (y de preocupación). Clara camina hasta cerca de la charca, la mira unos instantes como con respeto, y se vuelve —velozmente— sobre sus pasos. Las amarillas y blancas florecitas quedan nuevamente sembradas al borde del camino, mientras la niña huye, sin volver la cabeza, sin apresurarse demasiado, con la cara ligeramente pálida.

Hasta que un día —el día que nació su nuevo hermano, Joaquín— cobró fuerzas y se acercó, como tratando de vencer un miedo injustificado, hasta la orilla misma...

....

Sí; fue justamente el día que nació Joaquín, su nuevo hermano. Es la primavera y el sendero está más hermoso que nunca. De buena gana la niña se hubiera llevado consigo a Mariano, que se quedó allá encerrado, jugando con una piedra.

Clara hace tremendos esfuerzos para sentirse feliz. Todo le ayuda: el campo huele como nunca, el sol juega con la mañana en mitad del cielo, los mirlos cantan desde los zarzales, y los dorados, los cobrizos escarabajos arrastran torpemente, graciosamente, sus hermosos colores sobre la yerba.

De trecho en trecho, Clara se para y contiene la respiración como para sujetar mejor el instante de que goza, llena de libertad y de alegría, casi como el pájaro silbador que cruza, raudo, casi a ras del suelo, para elevarse a lo lejos, camino de las distantes nubes.

La charca, próxima ya, deja ver la tersura de sus aguas mansas, hermosas y verdes para algunos reflejos, verdes y venenosas para cualquier otra luz.

La charca, de día, es un bello lugar menos temeroso que el campo; un fresco rincón donde los pájaros ocultan su escandaloso amor entre las verdes cañas que se doblegan, graciosas, al liviano peso. La charca, de día, es muy distinta al temeroso y traidor paisaje de la noche, con su neblina engañadora y su voz que atormenta como el vagido del moribundo aferrado, con su última gota de voz, al hilo de araña que mece, suavemente, el viento.

Clara llega hasta la orilla misma que aún finge ser el campo, con su césped que crece sobre el lodo finísimo, y sus espadañas cortantes como navajas, y sus nenúfares y sus lirios de suaves y delicados colores, y se queda absorta y muda ante lo que ve. Clara está ante un paisaje diferente y recién encontrado, ante un mundo que no sospechaba, tan distinto del hosco clima de su casa, del gesto de sus tías crueles que se complacen en aburrirla, de sus hermanas que la desprecian, de sus padres que quizás se odian y la odian.

Clara se acuerda de Mariano. Él no puede salir pero, ¡si él viera esto! A su hermano se lo imagina, de repente, como un hermoso y tímido lirio preso al tallo que lo nutre... Tiene ganas de llorar —es sólo un instante— y vuelve a pasear la mirada por las tranquilas aguas de la charca sobre las que docenas de libélulas —que aún no ha descubierto— persiguen el aire en veloces zigzags.

Lejos, la casa semeja un viejo caballo negruzco que se ha quedado muerto de cualquier maldición, reclinado sobre una peña del camino. Clara le vuelve la espalda.

Clara mira para los cerros que bordean el llano y piensa que nada hay más allá del horizonte. Aquí está lo bueno y lo malo, lo hermoso y lo sucio, lo amable y lo aborrecible. Quiere aclarar la cosa un poco más, pero no puede; se limita a comparar a su hermano de la cuadra con sus primos, los mozos que gozan libremente tirados por el campo; a poner frente a frente la charca llena de colores y la negra casa, el día rebosante de luz y de silencio y la oscura noche preñada de tercas voces que sobrecogen el ánimo.

Clara camina por la orilla y se sienta sobre una piedra que entra en las aguas como un balconcillo. Nota un bienestar grande que le recorre todo el cuerpo, a veces hasta un ligero temblor. Ve el pájaro que pasa dejando caer sobre las aguas el huesecillo de alguna fruta, y ve cómo las aguas se abren, cariñosas, blandas, para recibirlo, cubriendo la misma herida que les hizo, de livianos, ligeros círculos concéntricos que se extienden, hasta hacerse casi imperceptibles, sobre la tersa superficie. Piensa que la tierra es el inmenso techo de la casa donde se guardan las malas obras, y que el agua remansada es el techo, brevísimo, del palacio donde viven las cosas hermosas. En el fondo del estanque, las suaves flores tienen su nido y sobre ellas el mirlo deja caer la roja cereza, la dorada uva. Mira para las aguas, bajo la piedra, y allí se encuentra, mirándose fijamente, sin atreverse a mover ni un solo pedacito de su cara. Cada vez es más feliz, feliz como nunca se había imaginado que hubiera podido llegarse a ser. Ladea la cabeza y las aguas le devuelven la misma cabeza ladeada; levanta una mano y las aguas le muestran la misma mano levantada.

Clara se ríe, cuidadosamente al principio, alborozadamente después. Su risa pasa rodando sobre las aguas de la charca y levanta una huida de mil voces entre los pájaros del cañaveral. Vuelve a mirarse en el profundo espejo de las aguas y vuelve a encontrarse de nuevo, pintada sobre el techo del palacio donde todo lo amable vivía.

Lleva un hermoso botón morado, grande como una moneda, sobre la blusa. El botón es casi del mismo color que los lirios, y los lirios ¡guardan tan profunda, tan escondida su raíz!

Clara no lo piensa; se arranca el botón —sólo le desagrada el ruido de la tela al rasgarse— y lo deja caer, por su ligero peso, en el centro mismo de la cara que fijamente la mira al asomarse.

El agua lanza un breve quejido y una gota al aire, y la cara es sólo entrevista —unos instantes— bajo los suaves rizos.

Clara se queda quieta, sin apartar los ojos de la imagen, y ve cómo poco a poco la cara del agua vuelve de nuevo a mirarla, inmóvil, con la sonrisa en los ojos.

¡Cualquiera sabe cuánto tiempo pasó! A veces se piensa que un día entero; otras, que sólo un cuarto de hora, largo, muy largo... A lo mejor, toda una vida.

NOTA. En las revistas *La Hora* (Madrid, 2 de abril 1948) y *Mundo Hispánico* (Madrid, mayo 1948) aparecieron los cuentos *Los hermanos* y *Dos hermanos,* cuyos personajes y ambiente eran los mismos y cuya anécdota, sin ser igual, tenía mucho de común. He creído preferible fundirlos en el que aquí ofrezco con el título de *El espejo,* ya que lo entonces publicado —según pude ver al cabo de los años y al encontrarme ahora con los dos textos juntos— no era más cosa, probablemente, que el excesivamente literario borrador de algo que proyecté con mayor amplitud (sigue en *El aullido de la charca,* que aparece a renglón seguido) y que se quedó en agua de borrajas.

Cubierto de polvo, galopando hacia el sol poniente, un jinete se perdía a lo lejos, más allá de la charca.

Media hora antes, quizá lo hubiéramos visto discutir con el dueño de la casa y con su yerno.

—¿Y el ganado?

—No pasa.

—¡Allá tú!

Sobre el campo, dejado de la mano de Dios, el sol parecía como entretenerse en acerar los brillos del agua remansada.

No se oía ni una voz ni se veía un solo hombre en todo alrededor.

Echado en el suelo, a la puerta de la casa, un mastín dormía con una oreja levantada y, a su lado, jugando con la tierra, una niña silenciosa esperaba la noche.

Detrás, la casa, alta, grande, sombría, casi negra.

En la cocina, una mujer trajina de un lado para otro; destapa una olla, tira unas patatas podridas en la lata del cerdo, mata una cucaracha con el pie.

En el zaguán, dos hombres fuman parsimoniosamente. El más joven lee un periódico atrasado, un periódico que habrá venido de la lejana ciudad envolviendo cualquier cosa. En la cocina, la mujer enciende un candil.

—¡Niña!

La niña que jugaba con la tierra entra en la casa y se sienta, siempre en silencio, sobre el escalón que une la cocina con el portal.

Parece que, con la penumbra de la luz de aceite, se oyen ahora lejanos murmullos que antes no se escuchaban, próximos ruidecillos de las vigas.

Una suave neblina se posa sobre la charca, y la luna, poco a poco, como trabajosamente, se deja ver, de vez en vez, entre los plateados bordes de las nubes.

Un aullido prolongado cruza por el campo.

—Ya está ahí la charca.

—¡Hacía días!

La niña que está sentada en el escalón rompe a llorar.

—¡Calla!

La cena pasa en silencio. En la cocina, tres mujeres y la niña y dos hermanas suyas, mocitas ya.

En el zaguán cenan los dos hombres; un muchacho y un niño rebañan los platos de los hombres. Nadie habla. El largo aullido sigue cortando la noche.

El joven es el que manda.

—¡A dormir! Marta, tráete dos copitas.

La mujer se dirige a su marido:

—¿Vas a salir esta noche?

—¡A ti qué te importa!

La mujer, que hace ya muchos años que no llora, se marcha con la cabeza baja.

El hombre se va tras ella y se sienta en la cocina a verla hacer. Están solos.

Pasa un rato de silencio. El hombre mira para el suelo.

—Pues sí, voy a salir, ¿no oyes la charca? Voy a salir, como salgo siempre, hasta que un día me cojan en el lazo...

—¡Calla!

—¡No callo! Hasta que un día me cacen como a un lobo y tú...

—¡Calla!

—¿No ves a tu hermana Dolores?

La mujer estaba pálida como muerta.

—Vete, si quieres. Yo rezaré por ti como todas las noches. ¡Que Dios me lo perdone!

Un viento silbador se había desatado sobre la llanura y los escasos árboles se doblegaban, serviles, a su paso.

El caballo ya conocía el tembloroso camino de tantas noches.

Apretado contra su jinete, buscaba calor para el escalofrío que le corría por el espinazo.

La charca seguía cantando, cada vez más ululante, y su voz se perdía, sin eco, en el final del llano.

Ramón descabalgó.

Un hombre cruzó rápido por la sombra.

—¡Quién va!

Nadie respondió. Había empezado a llover y la charca resonaba como un pandero.

Se oyeron, entre el silbar del viento y el lamentarse del agua, los juncos que se quiebran para que pase el hombre en su huida.

Ramón se arrimó a su caballo, que sudaba bajo la lluvia, el belfo temblón, los cascos impacientes.

Un silbido poderoso le retumbó en los oídos. Prestó atención y vio otro hombre cruzando las junqueras. Sintió no haber traído su escopeta.

Fue andando por la orilla camino de los juncos, con el cinturón de gruesa hebilla de hierro en la mano.

Si hubiese tenido sosiego, quizá hubiera pensado en la viscosa lama, en la traicionera lama que, desde los labios de la charca, esperaba imperturbable la propicia presa.

Cuando notó que un pie se le escurría ya había dado el paso, ya apoyaba la otra pierna —medio metro más adelante— sobre el suelo huidizo.

Por su mente cruzó como una chispa la idea de que se portaba mal con su mujer. Fue sólo un instante.

—¡Socorro!

Tenía la cabeza fría por dentro y el agua de la lluvia no bastaba para lavarle la sudorosa frente.

—¡Socorro!

Los juncos se cimbrearon al sonar de su voz y el caballo, impaciente, se debatía con las manos trabadas con la brida.

Ramón hubiera visto en la oscuridad. Sus ojos ardían como dos ascuas.

—¡Socorro!

Tres hombres se le acercaron por detrás y tiraron de él.

—Ya te esperábamos.

—¿Por qué?

—Ya ves..., cosas que a uno se le ocurren. ¿Ya no preguntas por el ganado?

—¡Déjate de eso!

Ramón se limpiaba las botas con unas hierbas. El hombre que había hablado fumaba en una gruesa pipa de tapadera.

—¿Para qué llevas el cinturón en la mano?

—¡Psché...!

Los cuatro hombres llegaron al caballo de Ramón.

—Te compro el caballo.

—Cógelo, te lo doy.

—No; mañana iré a tu casa a buscarlo.

—Es peor; llévatelo ahora. A Marta le iba a extrañar...

—Sí, verdaderamente.

Ramón, descabalgado, volvió sobre sus pasos. Al llegar a la casa le salió la mujer a esperar.

—No te oí llegar.

—Es que vine a pie.

—¿Y el caballo?

—Allá se quedó.

—¿En la charca?

—Sí.

La mujer trataba de mirarle a los ojos.

—¿Qué te pasa?

—Nada... ¿Has rezado por mí?

—Sí.

—¡Más ha valido!

—¿Y eso?

—Ya lo ves.

Ramón entró a calentarse en la cocina. Tenía las ropas caladas por la lluvia y estaba temblando.

—¿Estás malo?

—No, no es nada. Dame una copa caliente.

Marta se la trajo y Ramón se la bebió de un trago.

—Oye, Marta.

—Dime.

—¿Te hice daño anoche cuando te retorcí el brazo?

—No hables de eso.

—¿Tú me quieres igual?

—Sí; anda, calla y vámonos a dormir. Es ya muy tarde.

Amador Muñoz, de treinta y nueve años de edad, soltero, natural de Azuqueca de Henares, provincia de Guadalajara, de profesión periodista, con cédula, etc., etc., llamó discretamente con los nudillos en el despacho del director.

—¿Se puede?

—Pase usted, hijo.

—Quiero leerle la nota.

—Sí.

Amador Muñoz carraspeó un poco, para aclarar la voz.

—Ayer tarde falleció, rodeada del cariño de los suyos y reconfortada con los auxilios espirituales, nuestra particular amiga la señorita Purita Ortiz, joven en la que se unían, a una belleza singular, una bondad y una inteligencia sin par. Frisaba la finada en los treinta y siete años, cuando un mal traidor, que le minaba el organismo desde fecha aún no lejana, vino a arrancárnosla de nuestra compañía. Sus dotes excepcionales la habían hecho amable de todos los que la conocíamos y admirábamos y su nombre llegó a vibrar, aureolado de un nimbo de gloria, en todos los oídos de la región. ¡Que Dios la haya acogido en su santo seno! A nuestro director, don Julio...

El director, que era un hombrecito pequeño y melenudo, un hombrecito con botines y corbata de lazo, dejó caer las palabras con una seriedad tremenda.

—Bien, Amador, bien; está muy bien. Eso de aureolado de un nimbo de gloria, está muy bien, se lo digo yo. El final está también bien: esa exclamación: ¡Que Dios la haya acogido en su santo seno!, es seria y edificante. Sí, sí; hay que dar al periodismo el tono y la altura que le corresponden. ¡Ya lo creo!

El director tosió un poquito y se pasó el dorso de la mano por la boca. Después exclamó, satisfecho como si acabara de descubrir, perdida en los recovecos de su memoria, la idea genial que le faltaba para redondear su carrera, su brillante carrera de periodista.

—Y además, le felicito a usted, Amador; a mí me gusta ser ecuánime en mis juicios. Así como cuando no estoy conforme con su labor...

Cuando el director empezaba así era para echarse a temblar. No paraba hasta exponer su teoría completa sobre las dotes de mando. ¡Y era tan larga!

Al cabo de media hora salió Amador del despacho de don Julio. En sus ojos brillaban solamente dos lágrimas, porque la azarosa vida del periodista no permite concesión alguna a los sentimientos; pero cuando se quedase solo —¡ah, cuando se quedase solo!—, entonces se vengaría de la vida; de esa difícil vida que le atenazaba como la boa al corderillo; de esa vida dura que le sujetaba a la mesa de la redacción como el forzado al banco de la galera; de esa cruel vida que le impidió, con sus exigencias, estar a la cabecera de la amada cuando exhaló el último suspiro.

—¡Pobre Purita! —pensó—. ¡Con lo buena que era, con aquellos sus ojos azules como el cielo y aquella cabellera rubia como la mies...! Desechemos los pensamientos funestos; seamos fuertes, afrontemos la vida como nos la mandan. A lo hecho, pecho, y al toro, por los cuernos; es el lema de don Julio. ¡Ah, don Julio! Don Julio es un espíritu fuerte...

La cuartilla con la nota necrológica de Purita Ortiz llevaba por detrás, en lápiz rojo y de puño del director, la nota escueta y tajante con que los espíritus fuertes hacen frente a las adversidades. Napoleón, en Moscú, no hubiera escrito muchas más palabras que don Julio en Guadalajara: página 3, a dos columnas, con foto.

Amador estaba anonadado. ¡Qué presencia de ánimo la del hombre que, si Dios hubiera querido, hubiera acabado por ser su suegro!

Volvió a la redacción. Llevaba triste la mirada y como desnutrido el bigote. Quiso darse ánimos y pidió al ordenanza una copa de coñac.

—Del bueno —dijo.

¡Después de todo!, pensó.

* * *

El ataúd con Purita dentro bajó difícilmente las escaleras. Hubo momentos en que hasta pudo pensarse que acabaría rodando. Los doloridos hombros de los tres hermanos —uno, veterinario, José; otro, médico, Faustino, y otro, farmacéutico, Fidel— y de Amador, su prometido, no parecían demasiado seguros entre el peso y la congoja.

El señor gobernador civil envió al secretario del gobierno con su representación, y el señor general en jefe de la plaza mandó a un teniente coronel, ayudante suyo.

La concurrencia de amigos y conocidos era tan selecta como nutrida, y al frente, con la cabeza ligeramente inclinada hacia el suelo, don Julio hacía de tripas corazón.

¡Al dolor con el ánimo!, pensaba.

* * *

Amador cerró los ojos cuando las cuerdas corrieron bajo la caja, que se deslizó hasta el fondo de la fosa, impensadamente ligera. Dentro de los ojos, en vez de ver negro, veía como estrellitas amarillas que corrían veloces de un lado para otro.

Todo sucedió. La larga fila de los asistentes y un prolongado apretón de manos cortado, casi sin sentirlo, en doscientos trocitos.

—¡Arriba el espíritu, Amador! ¡Ha sido la voluntad de Dios!

—¡Sí, don Julio!

El nombre del director le salió de la garganta como un velado sollozo.

—Esta noche, como siempre. Quiero que sea usted quien redacte unas breves líneas.

—Sí...

—¡A lo hecho, pecho, amigo!

—Sí...

SE ALQUILAN GALAS NUPCIALES

Efectivamente, el señor Basilio había conseguido un hermoso rótulo. Aquello de galas nupciales era a todas luces más moderno, más original, más atractivo y elegante que aquello otro, tan manido ya, que todavía conservaban algunas prenderías obstinadas en no evolucionar con los tiempos, y que decía, igual que si estuviéramos en los años de la guerra de Cuba: Se alquilan trajes de novia. Hay velos.

El señor Basilio hubiera querido hacer aún más suave su letrero; hubiera preferido decir, en bella letra inglesa, con los gordos y los finos bien perfilados: Se ceden galas nupciales. Aquello sí que hubiera resultado realmente chic. Lo malo es que la gente, ¡resulta a veces tan torpe para entender! Eso de se ceden, ¡se prestaba a tan torcidas interpretaciones!

Dio dos o tres pasitos atrás, se apoyó en la pared de enfrente y lo volvió a mirar, con los ojos ligeramente entornados y soñadores.

Sí, realmente no había queja. Las dos primeras palabras —se alquilan— aparecían casi veladas en su sencillez, y las otras dos, las importantes —galas nupciales—, brillaban en su fresco y albo barniz, rodeadas de ligeras, suaves alegorías de bellos trazos curvos y flores de azahar.

Llamó a su mujer:

—¡Genoveva!

Genoveva, afanada en quitar las manchas y brillos a un chaqué que acababa de entrar, parecía como no oírle.

—¡Genoveva!

Verdaderamente, estos chaqués viejos y carcomidos, casi verdes a la violenta luz del sol, dan un trabajo que ¡ya, ya! Después, a lo mejor, están años y años en la trastienda muriéndose de risa. Claro que eso, ¡cualquiera lo sabe!

—¡Genoveva!

—¿Qué quieres, hombre?

—¡Ven aquí, verás qué bonito hace!

—¡Anda allá! ¡Como si una no tuviera más cosas que hacer que estar ahí con la boca abierta!

* * *

86

El señor Basilio —Peluquín, le llamaban en el barrio— sudaba bajo el torcido bisoñé.

En el soporcito de la siesta, divagaba su imaginación por los más bellos y lejanos parajes.

—Y entonces yo voy y le digo: no trae usted los papeles en regla, no puede pasar. Aquí somos serios, ¿sabe usted?, pobres, pero serios; ya dijimos bien claro, en la circular número 6, que para viajar de una provincia a otra había que andar con salvoconducto nuevo cada vez. ¿No lo quieren hacer? Pues mira: después pasan las cosas... Él, entonces, me dijo: mire usted, señor Basilio...

Su mujer llamaba a gritos desde el piso de arriba:

—¡Basilio!

El señor Basilio, a la hora de la siesta, se quedaba como sordo.

—Él, entonces, me dijo: mire usted, señor Basilio...

Genoveva seguía voceando, como si nada:

—¡Basilio!

El señor Basilio dio una vuelta en la hamaca.

—... mire usted, señor Basilio, yo fui a ver al señor gobernador y me dijo: Cuando llegue usted a Madrid, busque al señor Basilio, el de la prendería de la calle de Latoneros, y le dice con muy buenos modos: mire usted, señor Basilio...

—¡Basilio! —volvió a rugir la mujer.

El señor Basilio se despertó sobresaltado.

—¿Qué pasa, mujer?

—¡Esos niños, que te van a ensuciar el letrero!

El señor Basilio se levantó como un rayo y cayó sobre la puerta.

—¿Os parece decente, mocosos? ¡Ya os daría yo si os cogiese, ya!

La nube de muchachos huyó, desparramándose en todas direcciones, como cuando se mea sobre un hormiguero.

Desde las esquinas le gritaron como desafiándole:

—¡Peluquín! ¡Peluquín!

* * *

—Vea usted, señorita. Lo más chic es el tul ilusión; es algo más caro, cierto es; pero hace un gran efecto, créame.

—¿Y organdí?

El señor Basilio sonrió.

—¡Señorita, una novia con velo de organdí! Eso es para primeras comuniones...

—Ya, ya.

—Yo le aconsejaría que llevara uno de tul; si el tul ilusión le parece un poco caro, podríamos buscar algún otro...

—Muchas gracias; le preguntaré a mi novio.

El señor Basilio se quedó un instante viendo salir a la muchacha de la tienda; andaba muy bien aquella chica, ¡ya lo creo! ¡Qué tobillos tenía, santo Dios!

Dobló cuidadosamente los velos, los metió en las cajas y se subió al mostrador para colocarlas en los estantes. En el comercio, el orden es algo fundamental.

Su mujer entró.

—Ya te vi de palique con esa chica. ¡Mucho le habrás vendido en más de media hora de cháchara!

—Pues..., la verdad es que no mucho...

—¿Conque esas tenemos, carcamal? ¡Mira que a tus años y con peluca!

—¡Genoveva!

—¡Vete por ahí, pasmado! ¿Esta tarde tienes también que ir a ver a tu amigo?

LA NUEVA VIDA DE ENCARNACIÓN ORTEGA RIPOLLET, ALIAS MAHOMA

Sainetillo de la compraventa

Los pisos de goma de las zapatillas no dejan mucho, dejan más otras cosas: las botellas, las guerreras de caqui y las botas de caballero. Con los pisos de goma de las zapatillas no sale una de pobre; se va tirando, y ya es bastante, porque una, no hay que engañarse, ya no es la que fue y ya está para poco. Ampliando el negocio, las ganancias no tardarían en dejarse ver. A una lo que le gustaría era disponer de unos cuartos para explotar la sastrería y reponer existencias. La sastrería sí deja sus beneficios y, además, es más limpia y provechosa. La ropa usada, sobre todo si es de caballero, deja más margen. En un pantalón, al que no se le clareen los fondillos, se pueden ganar dos duros y hasta tres. Cuando mi Esteban dejó este valle de lágrimas, le saqué a su sastrería para el entierro y para el luto, y aún me sobró.

Encarnación Ortega Ripollet, alias Mahoma, era feliz con sus filosofías. Encarnación Ortega Ripollet, alias Mahoma, tenía tres aficiones: la filosofía, el vino de Valdepeñas y un vidriero fontanero de la calle del Amparo que, la verdad sea dicha, no estaba nada, pero que nada mal.

El vidriero fontanero de la calle del Amparo se llamaba Estanislao, y había querido ser matador de reses bravas (novillos y toros).

—Pero, hombre, Estanislao —le decían los amigos—, ¿tú no te percatas de que con ese nombre no se puede ser torero?

—¡Anda, y por qué no! ¡Lo que hace falta para la tauromaquia es arte y echarle valor! ¿Qué tendrá que ver el nombre?

Estanislao de Dios había conocido a la Encarna en un baile de los de caballero tres pesetas y señoritas por rigurosa invitación.

—¿Baila usted, joven?

—Y esto, ¿qué es?

—Nada: un mambo. Todo seguido.

La Encarna y Estanislao pronto intimaron, porque, como Estanislao decía, tenían muchos puntos comunes de contacto.

—¿Eh?

—Pues nada, que tenemos muchos puntos comunes de contacto.

La Encarna puso un gesto de circunstancias.

—Pero sin propasarse, ¿eh?

El Estanislao, al día siguiente, le dijo a la Encarna que habían nacido el uno para el otro.

—¡Qué tío, cómo habla! —le explicaba Mahoma a una clienta.

—¿Y cómo es?

—¿Que cómo es? Pues ¿cómo le diría a usted? ¿Ve usted al marqués de la Valdavia? Pues igual de fino, aunque peor trajeado. ¡Un tipazo! Y lo que es más importante, ¡todo un caballero!

—Bueno, bueno, pues que la cosa marche y que sean ustedes muy dichosos...

Encarnación Ortega Ripollet entornó los ojos y se calló.

* * *

A la Encarna, un día, le dijo el Estanislao:

—Oye, Encarna, chata: he pensado que debías ampliar el negocio. A mí me parece que lo mejor era atender la sastrería. Al tiempo que vamos se encuentran abrigos y americanas en buen precio; en el invierno valen el doble.

—Sí...

—Pues claro. Si a ti te parece podíamos formar sociedad. Yo tengo una cartilla en la caja de ahorros, una miseria, y si tú quieres la invertimos en sastrería.

La Encarna estaba emocionada; los pisos de goma de las zapatillas no daban más que para ir mal tirando.

—Bueno, si a ti te parece...

El Estanislao, al día siguiente, se fue a la caja de ahorros y retiró sus cuartos.

—Oiga —le dijo al de la ventanilla—, ¿a cuánto asciende?

Y el de la ventanilla sacó un lápiz para echar la cuenta de los intereses y le respondió:

—A dos mil ciento diecisiete con sesenta y tres.

El Estanislao dejó una con sesenta y tres y se llevó el resto.

—No es mucho —le dijo a la Encarna—, pero para arrancar ya tienes.

—¡Anda, pues claro! ¡Muchas habrán arrancado con menos!

La Encarna, con sus cuartos guardados en el escote, empezó las primeras compras.

—¿Seis duros por esta americana? ¡Usted está loco, pollo! Por esta americana no le puedo dar a usted más de seis pesetas, si las quiere.

—¿Seis pesetas?

—Sí, hijo, seis pesetas y al contado, y ni una más. ¡Pero si esto es algodón y del peor!

—¡Hombre, señora! ¡Será algodón, pero, vamos, seis pesetas! ¿Da usted cuatro duros?

—No. Esa americana no vale más de seis pesetas. Mire usted, para no discutir, ¿quiere usted siete cincuenta?

—Pues hombre, no. Con siete cincuenta, ¿adónde voy?

—¡Anda, y yo qué sé! Váyase usted a dar una vueltecita por el río, que siempre es económico.

El joven de la americana volvió a la carga.

—Mire usted, señora, el último precio, ¿me da usted tres duros?

La Encarna se horrorizó.

—¿Tres duros? ¡Quite usted allá! Mire usted, caballero, no se lo quería decir, pero esa americana huele a muerto.

—¡Anda! ¿Y a qué quería usted que oliese, a malvavisco? Este olor se le va en cuanto que usted la tenga colgada al aire un par de días. Después de todo, tampoco es nada malo. Vamos, ¡digo yo!

Al cabo de hora y cuarto de discusión la Encarna se quedó con la americana por nueve pesetas.

La Encarna puso un gesto conciliador.

—Ande, ande. Déjela ahí, me ha ganado usted por la simpatía...

* * *

Encarnación Ortega Ripollet, alias Mahoma, y Estanislao de Dios López, alias Vidrio, acabaron contrayendo. Cuando un hombre y una mujer se aman, ya se sabe: primero toman vermú con gambas; después, se cogen de la mano; más tarde, se aman, y al final, si no hay impedimento, contraen. Entre la Encarna y el Estanislao no había impedimento: los dos eran libres como el pájaro y, además, no eran primos, que siempre entorpece.

La pareja hizo el viaje de novios a Navalcarnero, donde la Encarna tenía una hermana muy bien casada.

—Veniros a Navalcarnero —les había dicho la hermana de la Encarna—; aquello es muy saludable.

—Bueno.

La hermana de la Encarna tenía tres hijos mayorcitos, pero uno, sobre todo, era el que más llamaba la atención. Su nombre era Maximino y tenía la cabeza gorda y una pata seca, tan seca que parecía hecha de cecina.

—El Maximino, ahí donde usted lo ve —le decía la hermana de la Encarna al Estanislao—, es más listo que el hambre. Verá usted. ¿Maximino, quieres una peseta?

—Muuu...

—¿Lo ve usted? No se le escapa una.

Maximino, aunque ya tenía catorce años, todavía no hablaba. Maximino lo único que decía era muuu..., muuu..., como si fuera un choto; pero su madre lo entendía muy bien.

—Eso debe ser el instinto de la maternidad —se decía el Estanislao—; a esta criatura, el día que le falte la madre, lo mejor que le podía pasar es que lo pisase el tren.

Al Estanislao, eso de estar todo el tiempo escuchando mugir al Maximino, le daba mucha tristeza. El Estanislao era muy sentimental, siempre había tenido muy buenas inclinaciones.

—Oye, Encarna —le dijo un día a su señora—; yo creo que nos debíamos volver a Madrid; a mí el Maximino me trastorna, ¡qué quieres!

—¡Pero si es muy buen chico!

—Sí; yo no digo que sea malo...

La Encarna y su marido, a los dos días de la conversación sobre el Maximino, se volvieron a Madrid. En el autobús, la Encarna se puso tierna y le dijo a su marido:

—Oye, Estanislao, ¿de qué le habrá venido eso al Maximino?

—¡Anda, hija! ¿Y yo qué sé?

La Encarna hizo todo el viaje preocupada.

—¿Te mareas?

—No; me estaba acordando del Maximino. Oye, Estanislao.

—¿Qué?

—Pues que digo yo que, para que salga como el Maximino, más valdría no tener hijos, ¿verdad?

—¡Claro! El pobre Maximino es una desdicha; a la criatura no hay por dónde cogerle. Pero, vamos, si nosotros tenemos un hijo, no ha de ser así. El Maximino es lo que se llama una excepción.

* * *

El sol de la primavera, que sobre el Rastro se pintaba con la amorosa y doliente color de la calderilla, sacaba destellos de frac de las chaquetas sin dueño que colgaba la Encarna en su tenderete.

—¿Tiene usted un chaleco canela en buen uso, señora?

—Sí, caballero, en mi tienda nada falta, una tiene de todo...

Encarnación tenía, efectivamente, de todo. Encarnación Ortega no se podía quejar. Encarnación Ortega Ripollet tenía un marido guapo, un puesto de su propiedad, un alma de artista y, para que nada le faltase, un niño cabezota y tartaja, que decía muuu..., muuu..., por todo decir y que se parecía a su primo Maximino como una gota de agua a otra gota de agua.

Pero Encarnación Ortega Ripollet, alias Mahoma, no lo veía.

—¿Verdad, usted, que está muy crecido? —solía decir a los compradores que se acercaban a su negocio a mercar el pantalón que había dejado, como un frío y lejano suspiro, un muerto de sus mismas carnes, poco más o menos.

Sobre el viejo caserío los inviernos se descuelgan como las cuentas de un rosario roto. Los ímpetus más violentos se han amansado del roce con los años que van pasando, y las voluntades, aún férreas no hace tanto tiempo, se han ido reblandeciendo sobre el húmedo reclinatorio de las indiferencias. Es la montaña, ¿qué importa cuál?, el monte que se traga los espíritus templados, las vocaciones que parecían irrefrenables, las fuerzas más hercúleas.

En la montaña, como un milenario patriarca, entre burlón y consentidor, don Claudio ha ido envejeciendo poco a poco, sin que nadie, ni él mismo, se diese cuenta de que envejecía; sin que nadie se fuese ocupando, día a día, de contar los surcos que casi a punta de navaja fueron quedando grabados en su frente.

Conversando, por los senderos y las escarpaduras, con su yegua Generosa, a don Claudio le sorprendieron los albores de cada estación que pasaba, siempre un poco más triste, siempre un poco más resignado, un poco más escéptico, más consentidor. Rodando por el cantil de lo irremediable, don Claudio, ya sin una sola seca raíz a la que asirse, se entretenía en simular, como para tranquilizar su conciencia, que aún le preocupaba lo que ya no podía preocuparle. Después de todo, a los nobles espíritus puede bastarles el no confesarse jamás despreocupados.

Un día... Era el pleno invierno. El campo simulaba una decoración. Las altas, inaccesibles cimas aparecían nevadas, y sobre el valle, rodando por las laderas, se rompían en un agua violenta, arrolladora, todas las nubes del cielo. Hacía un frío que calaba los huesos. Don Claudio, aquel día...

Sí. Don Claudio volvió a su casa ya anochecido. Dejó la yegua en el portal y subió las escaleras, quitándose el tabardo y la chaqueta. Venía empapado de agua, calado hasta los huesos.

Doña Rosita le salió al encuentro.

—Claudio, hijo, creí que no llegabas.

Doña Rosita era la mujer de don Claudio, vieja como él, como él limpia de corazón, sencilla de ademanes, avara de su difícil, de su duramente ganada paz. Don Claudio se sentó en la butaca, al lado del fuego, y empezó a hablar.

Lo que dijo, poco más o menos, fue lo que a continuación transcribimos.

* * *

—Luego volveré; no he llevado la Generosa a la cuadra. El pobre no pasa de esta noche. Su mujer es igual que un caballo, no discurre. ¡Mira que se lo dije! Juana, así no vamos a ningún lado; o Julián toma la medicina, o Julián se muere, ¡tú verás! Pues nada, se conoce que no le dio la gana. Juana, ¿le has dado la medicina a Julián? Sí. Julián, ¿has tomado la medicina? No, se han debido olvidar. ¡Después quieren que las cosas se arreglen! ¡Si no fuera que todas las enfermedades, menos la última, se curan solas! Oye, Rosa, hija, dame un trago de ginebra con agua caliente. ¡Al final acabaré cogiendo una pulmonía! ¡Ocúpate de esta partida de mentecatos, recétales lo que sea, exponte a que no te hagan ni caso...! Y después, cuando ya no los puede salvar ni la paz ni la caridad, aguanta que anden por ahí diciendo como cotorras: ¡Si don Claudio le hubiera acertado a tiempo! Toda esta gente piensa que esto es como la lotería, cuestión de acertar. Este año acerté con la aproximación del gordo. Este año acerté también dos difterias, un tifus, dos palúdicas y tres pleuresías. ¡Este año ha sido un año muy bueno, un año de mucha suerte! ¡Serán bobos! Hola Joaquín, ¿cómo va tu señora? Muy bien don Claudio, ya va a lavar. No revientan de verdadero milagro. Paren como conejas y trabajan como bueyes. A veces, unas puerperales, y a la fosa. Piensan que estaba de Dios, y se quedan tan tranquilos. ¡Así da gusto! Yo estoy ya bastante harto de todo esto. ¡Anda que si volviera a empezar...! Entonces Joaquín fue y me dijo: oiga don Claudio, que el niño parece que no anda bien; lleva ya varios días con mucha calor; para mí que deben ser las diarreas. Mira, Joaquín, ya te lo tengo dicho, tú no pienses; tú, cuando te pase algo, llámame y estáte quieto. Sí, señor, sí, ya lo haré. Pues nada, que si quieres. Yo pienso que son las diarreas; lo mejor será ver a ver si se le pasan. ¡Claro, claro, sin duda alguna, es la mejor solución! Lo malo es que tampoco se están quietos, como Dios manda; se ponen a discurrir por su cuenta, y después la pringan. ¡Caramba, parece que don Claudio no le acertó! A veces, da risa.

* * *

Doña Rosita vino a interrumpirle, le traía la ginebra con agua caliente. Don Claudio se calló. Don Claudio hablaba solo con frecuencia, hablaba a media voz durante tiempo y tiempo. A veces se enfurecía, se ponía rabioso. Entonces gritaba como un condenado.

Doña Rosita puso el vaso y la botella sobre la mesa de camilla.

—¿Con quién hablabas?

—Con nadie; no estaba hablando. Dile a ésa que le dé agua a la yegua.

Esa, era la criada.

—Voy a salir. El pobre no pasa de esta noche.

—¿El Julián?

—Sí; a su mujer no le dio la gana de darle la medicina. Su mujer es igual que un caballo, es peor que un caballo; ni discurre, ni tiene sentimiento ni nada. Además, anda cada día más sucia. Yo ya se lo dije: Juana, un día te van a comer los microbios. Ella se echó a reír. A lo mejor, es más dura que los microbios; no me extrañaría nada. Pero el pobre Julián, ¡ya ves! Se defendió como pudo, pero al final se lo van a tener que decir en misas.

Doña Rosita salió de la habitación. Al poco rato estaba otra vez al lado del marido.

—Ya le han dado el agua a la Generosa.

—Bien.

Sobre el viejo matrimonio pasaron unos instantes de silencio. Doña Rosita sacó una baraja del aparador y se puso a hacer solitarios.

—Es el solitario nuevo que me enseñaron las del registrador. ¿Quieres que te lo enseñe?

—Después. ¿Es divertido?

—Sí, muy divertido. Lo malo es que no sale casi nunca; es muy difícil.

Sobre el portón sonaron tres golpes.

—¡Abre, Luisita!

—Voy, señora.

Luisita bajó las escaleras y abrió.

—Que venga don Claudio, que el señor Julián se va...

Don Claudio oyó el aviso y se levantó. En el portal se encontró con un niño de la vecindad, medio tonto, que tenía el pelo rojo y que andaba siempre haciendo recados de un lado para otro.

Don Claudio levantó la voz.

—Oye, Rosita, que luego vuelvo, adiós.

Del piso de arriba llegó la voz de doña Rosita.

—Adiós, espera que baje.

* * *

Cuando don Claudio volvió para su casa, al cabo del tiempo, después de certificar la muerte de Julián, venía hablando bajo, como consigo mismo. Lo que decía no se podía entender. Los del pueblo decían que don Claudio hablaba a veces con la yegua.

Su mujer le preguntó:

—¿Ha muerto?

—No; lo deja para mañana por la mañana.

Doña Rosita era muy miedosa.

—¿Les has dejado algo?

—Sí, le he metido tres pesetas debajo de la almohada; no llevaba nada más encima...

IV.
Gran guiñol y archivo de insensateces

A Raúl, niño orejón, loco lazarillo de ciegos, a quien una noche llevaron a ver *El rey Lear,* de Shakespeare; le gustó tanto, que no volvió a su casa jamás.

DOS BUTACAS SE TRASLADAN DE HABITACIÓN

Don Cristobita ha estrenado casa: cuatro habitaciones, todas exteriores, hall, cocina, baño, aseo de servicio y un armario empotrado en el pasillo. Don Cristobita está encantado con su nueva casa y se pasea por las habitaciones de una a otra, echando discursos y andando a la pata coja. Cada cual denota el contento como mejor puede.

Los muebles de don Cristobita vinieron por el aire, como las noticias lejanas —las noticias de las inundaciones del Nilo y de los descarrilamientos en Louisiana del Sur—, y don Cristobita, mientras veía sus mesas y sus sillas suspendidas en el vacío, como la espada de Damocles, pasó un rato amargo, con los nervios de punta y la atención en vilo.

Pero todo tiene su fin, y los muebles de don Cristobita, unos detrás de los otros, quedaron instalados en su nueva casa. Los dos butacones de orejas, lustre y orgullo del ajuar de don Cristobita; los dos butacones, amplios como matronas romanas, acogedores como madres tiernas, cómodos como ataúdes de primera preferente, clase A, gran lujo, no salieron de la habitación por cuyo balcón habían entrado, la habitación que había de ser precisamente el despacho donde don Cristobita había de despachar, como a criadas insurrectas, sus largas y vacías horas de aburrimiento y crucigramas.

Don Cristobita, con los muebles recién colocados —como huevos frescos y recién puestos— en su nueva casa, se volvió algo matilde, algo cocinilla, y se dedicó durante algunos días a correrlos de sitio, a quitarles el polvo, a darles un poco de barniz.

—¡El hogar! —decía—. ¿Hay algo mejor que el hogar? Con un hogar confortable se ahorra dinero, casi no se sale a la calle, se baja menos al café... ¡Oh, el hogar!

Cuando don Cristobita acabó de arreglar su nueva casa cogió el portante y se marchó al café. A don Cristobita le remordían un poco las largas y estériles horas del café, pero, ¡se estaba tan bien! Don Cristobita buscaba argumentos para quedarse en casa, pero no los encontraba. Al contrario, lo que le aparecían a cientos eran argumentos para marcharse: la criada cantaba con una voz estentórea y destemplada, la casa olía a aceite frito y a lombarda cocida, el niño estaba sucio y se pasaba las horas llorando a moco tendido, la mujer le acosaba con la eterna cantinela de que no tenía medias... En fin...

El pobre don Cristobita, acorralado por las circunstancias —como él decía—, procuraba comer aprisa y corriendo para largarse de nuevo al café. ¡Se estaba tan bien sentado sobre el peluche, tomando café con leche y oyendo hablar de literatura a los de la mesa de al lado!

Hasta que un día... El autor de estas líneas ha oído decir, no recuerda bien dónde, que los grandes descubrimientos de la Humanidad han sido siempre producto del azar: el baño de Arquímedes, la manzana de Newton, etcétera. A don Cristobita, aquel día debió pasarle algo parecido.

Don Cristobita estaba pensando en lo de la Alemania occidental —si era bueno o si era malo—, y de repente se quedó parado y dijo:

—¡Ya está! ¡Lo que hace falta es cambiar el despacho de sitio!

Salió corriendo para su casa y le comunicó la decisión a su mujer.

—Mira, Paquita, hija, lo que hace falta es cambiar el despacho de sitio, ¿no te parece? Ahí donde está, mismo enfrente de la cocina, no es un sitio apropiado. Es de mal efecto que venga alguien a visitarme y pueda ver ahí una mesa llena de pescadillas muertas. ¿No te parece?

—Sí, sí, lo que tú quieras. Ya sabes que yo, lo que tú quieras...

Don Cristobita puso manos a la obra. Los muebles del comedor los puso en el hall, que estaba vacío, y empezó a sacar los muebles del despacho. Las sillas salieron muy bien. Dos estanterías pequeñas que tenía adosadas a la pared salieron bastante bien. La mesa salió bien; con algún trabajillo, pero salió bien. Lo malo fueron los dos butacones de orejas.

Llamaron a la puerta y don Cristobita tuvo que suspender un momento su quehacer para apartar un poco los muebles del comedor, que no dejaban llegar a la puerta.

—El gas.

—Bien, pase usted.

—¿De mudanza?

—Pues, no. Un arreglillo...

Los dos butacones de orejas pesaban como condenados; además, eran malos de manejar.

—¡Paquita, échame una mano!

—¡Voy!

La mano de Paquita no fue suficiente.

—Que venga la Lola.

La Lola vino, pero entre los tres tampoco pudieron sacar el butacón. El hombre del gas que salía de la cocina de anotar el contador, se consideró en el derecho de intervenir.

—¿Y dándole la vuelta?

El butacón de orejas, dándole la vuelta, tampoco salía. El hombre del gas era un hombre dinámico, peligroso.

—Yo creo que quitando la puerta tiene que salir. Lo que falta es ya muy poco.

Pero con la puerta fuera de sus goznes y apoyada, como una puerta enferma, en la pared del pasillo, el butacón tampoco salía.

Don Cristobita se sintió jefe.

—Nada. Dejémoslo. Hay que avisar a los hombres de las mudanzas; que los descuelguen a la calle y que los vuelvan a coger desde el otro balcón. Eso para ellos es facilísimo. Por la puerta está bien claro que no caben.

Don Cristobita se colgó al teléfono y habló con los de las mudanzas, que quedaron en ir a la mañana siguiente. Después, como tenía los nervios deshechos, se fue corriendo al café.

Y a la mañana siguiente...

A la mañana siguiente, a las ocho y media, la criada despertó a don Cristobita.

—Señorito, los de la mudanza.

Don Cristobita se echó de la cama y se puso la bata. Don Cristobita había dormido, en la noche, tres cuartos de hora escasos; el hombre se había desvelado pensando en sus butacones de orejas.

Don Cristobita salió al pasillo y allí se encontró con ocho mocetones garridos —asturianos y gallegos— armados de garruchas, poleas, cuerdas y decisión. Don Cristobita se encontró muy pequeño al lado de ellos y sonrió.

—¡Je, je!

El que parecía jefe tomó la palabra:

—Buenos días. ¿Qué hay que hacer?

Don Cristobita estaba un poco azarado; él no contaba con que hubieran venido más de dos hombres, uno para asomarse al balcón y otro para ponerse en la calle y coger las butacas.

—¡Je, je! Pues, ya ven ustedes, ¡poca cosa! ¡Una chapucilla! Estas butaquitas que quería llevarlas a esa habitación y, claro, como por la puerta no caben, pues pensé que lo mejor sería descolgarlas a la calle y volverlas a coger, ¡je, je!

El que parecía jefe, ni contestó. Miró las butacas, miró la puerta, se ajustó el cinturón, cogió una butaca, le dio la vuelta y la puso en el pasillo. Con la otra hizo lo mismo.

Don Cristobita se puso colorado.

—¡Je, je! ¿Pesan, eh?

—No, señor, ¡más pesa un piano!

Don Cristobita seguía sonriendo; el hombre se sentía profundamente desgraciado.

—¿Algo más?

Don Cristobita casi no tenía voz.

—No..., no..., no...

LAS ANDANZAS DEL PEQUEÑO VERANEANTE

1

EL PEQUEÑO VERANEANTE SE BAÑA

El pequeño veraneante había mostrado cierta buena disposición para trepar peñas difíciles, sortear pasos dudosos, saltar zanjas, escalar montes no muy altos y subirse a los pinos. El pequeño veraneante sabía, asimismo, distinguir las moras verdes de las maduras, las castañas de Indias de las castañas pilongas, el trigo del maíz y las gallinas ponedoras de las palomas torcaces. El pequeño veraneante, a no dudarlo, iba adquiriendo a pasos agigantados todo un aire imponente de avezado viajero.

Aún quebraban en él algún que otro detalle un tanto dudoso —bañarse en calzoncillos, por ejemplo—, pero a fuerza de aplicación y buenos sentimientos, el pequeño veraneante iba corrigiéndolos o, cuando menos, depurándolos.

El pequeño veraneante tenía sus horas repartidas con cierta sabiduría; de tal a tal, dormir; de esta a la otra, comer; de cual a cual, pasear; de aquella a la de más allá, acompañar al baño a las señoras que tenían sus maridos en Madrid. El pequeño veraneante jamás se salía un ápice de lo previsto; pensaba, con Descartes, en que la importancia de la norma estribaba en que no dejara de serlo.

En los escasos ratos del día que su culto por la norma le dejaban libre, el pequeño veraneante se dedicaba a los más varios menesteres: sentarse, levantarse, coleccionar sellos, pedir el periódico prestado, fumar cigarrillos, o asistir a distancia a la siempre aleccionadora y etimológica polémica de sus compañeros de hotel sobre si Balsaín se debía escribir con B o con V. El pequeño veraneante —en su plausible afán de hacer engordar sin descanso el acervo de su cultura— era todo oídos en aquellos instantes en que la sabiduría, como una diosa, etcétera.

Pues bien; la cosa —como siempre, en última instancia, sucede con todo— fue sencilla, quizás bien mirado, hasta demasiado enternecedoramente sencilla. Vedla.

Era una mañana radiante. El sol estaba en su cenit, el pajarito en su rama, el negro toro —es un decir— en su prado, y el agua, ¡ay, el agua!, y el agua estaba en su río. Todo era paz en torno. La naturaleza vestía sus primeras galas de mujer mientras los veraneantes vestían sus últimas camisas del invierno, esas camisas que empiezan a descoserse y a coserse, a romperse y a zurcirse y ya nadie logra saber jamás cuándo, verdaderamente, llegan a estar a punto de ser tiradas a la basura.

El aspecto del campo era bonito. Por el polvoriento sendero, como si nada, iban camino del río cuatro personas: tres mujeres y un hombre. Tal era su aspecto de seriedad que, de haber habido un poeta lírico escondido entre las breñas, se hubiera apresurado a escribir en su block:

> Cuatro personas marchaban
> por el camino del río.
> Las de delante, sobrinas.
> El de detrás era el tío.

Sin embargo, en este caso, aunque parezca extraño, el poeta no habría estado en lo cierto: los cuatro caminantes no eran, como el vate en su ingenuidad supusiera, un tío con sus tres sobrinas, en fila india, sino el pequeño veraneante —nuestro pequeño veraneante—, su mujer y dos señoras más, éstas del subgrupo de las de los maridos en Madrid.

El cuarteto iba camino del baño: unas frígidas pozas escondidas, como grillos enamorados, entre zarzales y helechos.

Llegado que hubieron —como dicen los eruditos, los filólogos y los aficionados— al lugar en cuestión, nuestro pequeño veraneante y las tres señoras a su custodia, entonaron himnos de salutación al campo y se sentaron sobre el verde y blando césped de la orilla. Las tres señoras —que no habían pasado una pulmonía quince días atrás— se pusieron en traje de baño, si bien con el firme propósito de no mojarse más que los pies.

El pequeño veraneante, tímido como una corza soltera, retozaba con un palito de poza en poza, midiendo profundidades y recordando aquello tan ejemplar de la inmensidad del océano y nuestra propia e insustancial pequeñez.

Sus tres mujeres, admiradas de sus dotes de explorador, le animaban con frases donosas a que continuara sus brillantes escarceos.

—A aquella. Súbete a aquella.

Y el pequeño veraneante, dócil y galante como un caballero de la corte de los Luises, se subía a la otra peña, bien sabe Dios que sólo por complacer.

El sol marcaba en el reloj del cielo —¡qué barbaridad!— la hora del mediodía, cuando nuestro pequeño veraneante, confiado en sus pletóricas facultades, y en el momento en que exclamaba, como un gladiador triunfante: ¡He aquí la poza profunda! ¡Miradla detenidamente!, perdió pie —nadie pudo explicárselo— y se cayó al agua. Fueron unos momentos de intensa emoción que las tres mujeres aprovecharon para correr, como gráciles golondrinas, en dirección contraria a la poza.

Un jilguero silbaba en la enramada.

* * *

Al tiempo de desnudarse y de secarse al sol, pobre y abandonado y con las tres mujeres, posiblemente sentadas ya en el hall del hotel, nuestro pequeño, fraterno, entrañable y recóndito veraneante, pensaba, como para consolarse, en un telegrama a los buenos amigos lejanos, en un telegrama que no puso, pero que muy bien pudo haber puesto: El baño bueno punto nuestras mujeres bien y precavidas punto abrazos.

2

EL PEQUEÑO VERANEANTE VA DE PESCA

El día estaba radiante, luminoso. Un aire fresco, tierno y aromático como un panecillo, corría sobre las verdes y suaves orillas del río. Era por la mañana temprano y los patos recién despiertos batían las alas con violencia, desperezándose, antes de echarse a volar camino de la balsa. Olía el campo a florecitas granadas, señoritas en enagua, tiernas gotitas de rocío y otras bellas sustancias a la acuarela. En el cielo diáfano, las golondrinas, tan gentiles, se dedicaban a digerir mosquitos de tenues alas color ala de mosca. Un gazapillo retozaba en torno de la aromática mata de cantueso y una lagartija sin rabo se guarecía cabe la roca; roca, naturalmente, de cuarzo cristalizado en hexaedros.

Era hermoso en verdad el marco multicolor que eligió nuestro pequeño veraneante para pescar su trucha.

Una sensación de sosiego —una pegajosa, adherente sensación de sosiego que parecía resina— caía, lenta, del tupido pinar. Los helechos de envolver mantequilla se mecían, indiferentes, sobre el agua friísima, y la ardilla trepadora se dedicaba a eso, a trepar, mientras la señora que madrugaba sentía dimanar la providencial ayuda de los hermosos versos de *El tren expreso* o de *¡Quién supiera escribir!,* tan correctos como aleccionadores.

A todo esto, nuestro pequeño veraneante, vestido de punta en blanco, con un hermoso jipi en la sesera y una impresionante caña de pescar toda llena de rueditas, al hombro, bajaba con decidido ademán —ya es sabido que nada es más osado que la ignorancia— por la ladera que llevaba al río. Con él iba un amigo suyo —llamémosle, por llamarle de alguna manera, don José Ramón, que hace bastante bien—, hombre ducho en lides de pesca, buen técnico en lombrices, moscas, devones y demás porquerías, y aficionado serio y conspicuo que miraba el color de las nubes cuando las había, buscaba Dios sabe qué misteriosas orientaciones del viento y devolvía a las aguas las truchas desnutridas que hubieran sido un desdoro para su canana de paja del Tirol suavemente dorada a fuego lento. Don José Ramón —a diferencia de nuestro pequeño veraneante, que era un incauto— sabía perfectamente lo que se pescaba.

Pues bien: ya en la orilla, don José Ramón abandonó a nuestro pequeño y entrañable veraneante y se marchó, solo y altivo, río arriba, en pos de las pozas recónditas donde las truchas, como por entretenerse, pican el anzuelo en el menor descuido.

Nuestro pequeño veraneante se sentó en la orilla, caña en ristre, y esperó. De cuando en cuando miraba para detrás, por si era visto, sacaba el anzuelo del agua y le renovaba el cebo, que se había llevado, ¡tan desconsideradamente!, aquella trucha que pasó y que no faltó nada, verdaderamente, para que hubiera quedado colgada, como un calcetín, al extremo del sedal.

Alimentando truchas y contemplando el paisaje, nuestro pequeño veraneante había ya herido de muerte a la mañana. El sol marcaba ya poco menos que el mediodía, cuando por la orilla del río abajo se vio venir a otro pescador. Era un hombre joven, armado con una caña bastante peor, pero por lo visto, bastante más eficaz que la de nuestro pequeño veraneante o la de su amigo don José Ramón. El hombre de la caña mala llevaba al costado un fardelejo rebosante de peces. Verlo y tramar nuestro pequeño veraneante toda una suerte de malévolas inclinaciones, fue todo uno. Cuando estuvo al alcance, nuestro pequeño veraneante le soltó:

—Qué... ¿Buena pesca?

—¡Bah, según cómo se mire!

—Pero hombre, yo veo su bolsa llena de truchas.

—Sí, alguna picó. ¿Y a usted, qué tal se le ha dado?

—No sé. Hace cinco minutos que he bajado.

Nuestro pequeño veraneante sintió que el corazón le latía más fuerte cuando mentía como un bellaco. Quiso variar el sesgo de la charla y preguntó, como distraídamente:

—Hombre, a propósito, ¿no ha visto usted por ahí arriba a un señor que lleva una chaqueta verde?

—Sí, allá lo dejé. ¡Llevaba una caña magnífica!

—¡Ya lo creo, muy buena! Y qué, ¿sabe usted si pescó algo?

—No, señor, no había pescado nada, ni creo que lo pesque; llevaba demasiado plomo.

Nuestro pequeño veraneante hizo un esfuerzo supremo y, mirándole fijamente a los ojos, le dijo al pescador de la caña mala y eficaz.

—Le doy a usted diez duros por una trucha pequeña. ¿Hace?

—Es que, mire usted..., yo no vendo.

—Le doy a usted veinte duros. ¿Hace?

El pescador de la caña que servía para pescar, miró para el horizonte, se atusó el bigote, se metió un dedo en la nariz y exclamó, con el gesto solemne como un senador romano:

—¡Hace!

* * *

Nuestro pequeño veraneante colgó su truchita del anzuelo y esperó. Cuando don José Ramón llegó, nuestro pequeño veraneante tiró con fuerza de la caña, dio unos cuantos gritos y se revolcó, jubiloso, sobre la verde orilla. Nuestro pequeño veraneante era un actor dramático consumado. Don José Ramón lo miró y dejó caer la cabeza, abatida, sobre el pecho. Acababa de recibir un rudo golpe moral.

3

EL PEQUEÑO VERANEANTE VIAJA

Día llegó —por eso, quizás, de que en este mundo todo, tarde o temprano, acaba llegando— en que nuestro pequeño veraneante, con el bolsillo exhausto y el porvenir un tanto dudoso en aquel encantador pueblecito donde todo era delicia y paz, y las gentes eran honestas y hacendosas, y el paisaje evocador, y el cielo lleno de tersura como un lago en calma, etc., etc.; día llegó, decíamos, en que nuestro pequeño veraneante no tuvo otro remedio que volverse a sus cuarteles de invierno.

En la ciudad le esperarían las cosas que, sin llenarle la bolsa, le vaciarían la voluntad; pero nuestro pequeño veraneante, que de joven había leído un hermoso libro titulado *Eduque usted su espíritu,* libro que tenía una aleccionadora portada representando un señor con ojos de loco que miraba para el lector al tiempo que le apuntaba con un dedo, decidió, como todos los años al asomarse al otoño decidía, no arredrarse, hacer de tripas corazón, poner buena cara al mal tiempo y juntarse con las buenas compañías.

Arribó a la capital un tanto mohíno, molido por aquel viaje en autobús, en el que se tardó desde la provincia de Segovia hasta Madrid exactamente igual que de Madrid a Londres y vuelta; pero su firme voluntad de vencer todas las dificultades le hacía olvidar los avatares —los últimos, gracias a Dios, avatares del verano— de la excursión y el alto de cuatro horas y media en el puerto de Navacerrada por el lado de allá, que es el bueno.

El coche, viejo, chepudo y renqueante como un camello jubilado, subía echando los bofes por las Siete Revueltas, cuando un ruidito sospechoso, un ruidito no llamativo, pero sí sintomático, se dejó sentir como un amor repentino: breve, intenso, hasta dando un poco de grima, incluso. El coche reculó un poquito y después, afortunadamente, se paró. El conductor y su ayudante se apearon prestos y pusieron sendos adoquines en cada una de las ruedas. El pequeño veraneante y sus compañeros, que tal vieron, se apearon más prestos aún y se pusieron a contemplar la escena.

Al principio —nada hay más paciente que un viajero español; pregúnteselo usted a la RENFE— el humor era bueno. La tarde declinaba, los pinos se mecían con suavidad, no hacía ni frío ni calor, una vaca negra que pasaba era tomada, como de costumbre, ¡oh, manes de Freud!, por un toro por las señoras, y un guarda-jurado de gris uniforme con solapas rojas nos recordó a todos a la policía montada del Canadá.

—¿Qué pasa?

—Nada; la caja de cambios.

Lo malo vino después. La caja de cambios debe ser algo realmente importante, porque el conductor y su ayudante, en vez de meterse debajo del coche, que es lo que suele hacerse en semejantes casos, se dedicaron a pasear por la carretera de arriba para abajo. La cosa, por lo visto, no tenía arreglo. El pequeño veraneante, en su peculiar inconsciencia, quiso hacerse simpático y averiguar de paso cuál iba a ser la suerte de la expedición, y se acercó, como si se los encontrase por casualidad, al chófer y a su amigo el ayudante.

—Buenas —les dijo dulcemente—, ¿ustedes creen...?

No pudo acabar su frase. El chófer y su buen amigo el ayudante ni le miraron. Los chóferes y sus amigos los ayudantes, dedicados toda una vida a llevar y traer gente de un lado para otro, llegan a olvidar que los viajeros, salvo excepciones, son seres vivos que, entre otras virtudes, tienen la habilidad o el don de la palabra articulada.

El pequeño veraneante, triste y cariacontecido, se fue a reunir de nuevo con sus congéneres.

—¿Qué tal, qué tal? —le preguntaron impacientes.

—Nada —replicó el pequeño veraneante—, no deben ser españoles.

La gente empezó a impacientarse; la noche empezó a caer de verdad; los padres de los niños empezaron a decir que lo mejor era dar paseítos para no quedarse fríos y las madres de los niños empezaron a decir que no, que de ninguna manera; que lo que convenía hacer para no quedarse fríos era meterse dentro del autobús.

Lo que más tarde aconteció no fuera para descrito. Jamás —desde Esparta— recuerda la historia caso alguno de más ejemplar renunciación, de más probo estoicismo, que el registrado por aquel grupo de tímidos infelices de la clase media —que, bien mirado, hay que ver lo sufrida que es—, entre los que se encontraba, cavilando sobre la campaña de los próximos meses, nuestro pequeño veraneante: el hombre del que, si subsanase algunos pequeños defectillos, podría decirse que vivía en olor de santidad.

Haría falta un libro entero, un libro gordo, para relatar con cierta minucia aquellas horas al raso. Aquí parece ser que no tenemos espacio suficiente.

El ayudante esperó a que pasase un coche que le condujera al primer teléfono. La cosa de la caja de cambios sucedió a las nueve de la noche. El coche que había de llevar al ayudante tardó media hora en pasar y otra media hora en llegar a un teléfono. Eran ya las diez. El ayudante, con eso de tomarse una copeja de coñac para entonar el cuerpo, esperó a que fuesen las diez y media para pedir socorro por conferencia. La conferencia, como la hora era mala y la señorita del teléfono tenía que cenar y charlar un rato con las amigas, tardaron en darla tres horas menos unos escasos minutos. Era ya la una y media de la madrugada. Los veraneantes macho vivaqueaban en la carretera, al tiempo que los veraneantes hembra vigilaban dentro del coche el sueño de sus crías. En explicar lo que pasaba y en preparar otro coche transcurrieron aproximadamente cinco cuartos de hora. Eran ya las tres menos cuarto. En llegar el nuevo autobús pasaron tres horas y media, y en transbordar los equipajes media hora más. Eran ya las siete menos cuarto. Un nuevo día rasgaba el horizonte, mientras los pajaritos, con un desprecio absoluto del dolor ajeno, silbaban jolgoriosos en la amanecida. En llegar a Madrid tardó la expedición cuatro horas, porque era conveniente bajar no muy de prisa. Eran ya las once dadas cuando los veraneantes oían aquello de: ...Y que no se vuelva a repetir; ya lo sabe usted. Comprenderá que no son horas de llegar a la oficina.

LA BANDADA DE PALOMAS

Cuento para niñas muy pequeñas

Había una vez, hace ya muchos años, una niña que se llamaba Esmeralda porque tenía los ojos verdes como las ramitas de los más tiernos helechos.

Esmeralda vivía con sus padres en una casa del bosque toda tapada por una enredadera de flores de porcelana en la que se posaban los pájaros que iban de paso, con una pajita en el pico. Por las mañanas, cuando salía el sol, los pájaros despertaban a la niña silbando bajo, para que no se asustase.

La casita donde vivía Esmeralda parecía una gallina muy grande cubierta de flores azules y amarillas, en vez de estarlo de plumas grises o marrones como las gallinas del gallinero.

Su padre, que era leñador, se llamaba Ebol, igual que un río muy hermoso que por allí pasaba.

Cuando por las mañanas salía a trabajar, con el hacha al hombro y el cuchillo de monte colgado del cinto de piel de becerro, Ebol cantaba una canción muy antigua que decía así:

> Los pinos son altísimos,
> los robles ya no tanto.
> Cuando canta el cuclillo
> desde el cerezo en flor,
> yo limpio mi cuchillo
> con guisantes de olor.

Como el cuchillo, al limpiarse con guisantes de olor, quedaba muy suave, a los árboles no les hacía ningún daño cuando les podaba las ramitas secas para que naciesen los tiernos capullos del mes de abril.

Su madre, que era lavandera, se llamaba Anádara, igual que una fuente que había entre los árboles del bosque.

Cuando por las mañanas iba a lavar a la fuente, con la cesta de ropa encima de la cabeza y el jabón guardado en una cajita de cristal color de rosa, Anádara cantaba una canción muy antigua que decía así:

El agua está muy limpia,
el aire está muy frío.
Cuando canta el jilguero
desde el manzano en flor,
yo lavo los pañuelos
del lino del amor.

Como los pañuelos caían al agua mientras el jilguero cantaba desde el manzano, iban muy distraídos y no notaban nada el frío. Y como se dejaban lavar muy bien, quedaban siempre tan blancos y relucientes como una estrella.

Un día, Esmeralda se miró en las aguas de la fuente y vio que tenía una figurita muy espigada, unos tirabuzones rubios muy bonitos, una piel tan lisa como una concha de la mar y unos ojos verdes del mismo tono que las matitas de yerba cuando aún guardan la frágil gota del rocío.

Esmeralda se encontró muy hermosa y se dijo: «Ya soy mayor, ya puedo ir sola a dar un paseo hasta la llanura que hay detrás del bosque.»

Esmeralda echó a andar y a andar y, cuando llegó hasta el final del bosque, como estaba muy cansada, se sentó en el suelo y empezó a deshojar margaritas diciendo:

—Sí, no, sí, no, sí, no...

Lo que Esmeralda preguntaba a las margaritas era: «Dime, margarita, ¿ya soy mayor?» Pero las margaritas acababan siempre diciéndole: «No, Esmeralda, aún no eres mayor.»

Esmeralda se puso muy triste y se quedó dormida.

Soñó que estaba jugando con una bandada de palomas de todos los colores, que tenían unas plumas muy bonitas pero la mirada un poco triste.

En esto estaba cuando le despertó una voz muy fuerte que le decía:

—Esmeralda, ¿te quieres casar conmigo?

Esmeralda volvió la cabeza con mucho miedo y vio un hombre horriblemente feo que llevaba un palo en la mano y unas barbas muy despeinadas.

El hombre le enseñó unos dientes muy grandes y le volvió a preguntar:

—Dime, Esmeralda, ¿te quieres casar conmigo?

La niña, que estaba temblando, le dijo:

—¿Y tú cómo te llamas?

Y el hombre le contestó:

—Yo me llamo Jamalajá y soy rey y señor de muchas tierras.

Esmeralda le volvió a hablar:

—¿Y por qué te quieres casar conmigo, que soy pequeña y pobre?

Jamalajá se rió muy alto, porque era muy ordinario, y poniendo una cara tan fea como el trueno, dijo:

—Porque busco una muchacha para que me haga la comida y me arregle la cueva.

La niña se puso muy valiente y le respondió:

—Pues yo no me quiero casar contigo.

Al hombre le dio un ataque de furia:

—¿Sí? Pues entonces te convertiré en paloma.

Esmeralda miró a su alrededor y vio que el sueño era una realidad y que el cielo estaba lleno de palomas.

Como las palomas eran de todos los colores, Esmeralda le preguntó al viejo:

—¿Y por qué hay unas palomas que son azules, y otras blancas, y otras de color pardo, y otras verdes?

Y Jamalajá le explicó:

—Esas palomas eran antes muchachas como tú y como no se quisieron casar conmigo, las convertí en pájaros y ahora tienen que andar siempre detrás de mí. Las niñas que vivían a la orilla de la mar las transformé en palomas de color azul; las que vivían en los prados, son ahora palomas de color verde; las que vivían en los montes, tienen pardo el plumaje, y las que vivían cerca de las fuentes son de color blanco como la nieve.

La niña le dijo:

—Bueno, señor Jamalajá, pues yo no me quiero casar contigo y prefiero que me conviertas en palomita blanca.

El hombre dio un grito muy fuerte y dijo unas palabras muy raras, y Esmeralda se convirtió en una paloma de color blanco con los ojitos verdes y las patitas amarillas.

Cuando llegó la noche, sus padres se pusieron muy tristes al ver que no venía.

—¿Qué le habrá pasado a nuestra niña? —decían.

El padre cogió la escopeta y dijo:

—La voy a buscar por el bosque. A lo mejor, como es tan pequeñita, se cayó en una tela de araña y no puede salir.

La madre, entonces, habló:

—Muy bien. Yo me quedaré en casa para que no se encuentre sola si viene antes de que tú llegues.

El padre anduvo toda la noche sin descansar pero no encontró nada. De vez en cuando gritaba: «¡Esmeralda!», pero no se oía más respuesta que la del eco que decía también, como una persona: «¡Esmeralda!»

Cuando salió el sol, se quedó dormido, rendido por el cansancio. Al poco rato lo despertaron unos pasos. Era Jamalajá que se le acercaba para decirle:

—Buen hombre, ¿quiere comprar palomas? Las tengo de todos los colores y además no son palomas vulgares sino palomas amaestradas.

—No —dijo el padre de Esmeralda—, lo que yo busco no es una paloma sino una niña que se me perdió ayer por la tarde.

El encantador de palomas le respondió:

—A lo mejor te puedo ayudar. ¿Qué me das si encontramos a tu niña?

El padre de Esmeralda le miró a los ojos para ver si decía la verdad.

—Yo poco tengo —le dijo—, porque soy pobre, pero de lo que yo tenga puedes elegir.

—Yo elijo la escopeta —contestó el mago.

—¿Y cómo sé yo que me dices la verdad? —preguntó el padre de Esmeralda—. A lo mejor me engañas. Yo veo que te brillan los ojos y que tienes negra la punta de la nariz.

Jamalajá, cuando vio que le habían descubierto que era un mentiroso, quiso escapar corriendo, pero el padre de Esmeralda le dijo:

—¡Alto, no corras, si escapas te tiro un tiro!

El hombre se paró y dijo:

—No, por favor, no me tires un tiro, yo te prometo que seré bueno y que nunca más diré una mentira para que no me brillen los ojos ni se me ponga negra la punta de la nariz.

—Bueno, pues entonces —dijo el padre de Esmeralda— dime dónde está mi niña. Si me lo dices yo te regalaré mi escopeta pero con una condición: que no la uses más que para tirar al blanco.

—Acepto —contestó Jamalajá—; dame la escopeta y yo te diré dónde está Esmeralda.

El hombre cogió la escopeta, dijo otra vez unas palabras muy raras, y todas las palomas se vinieron a posar sobre el suelo para irse convirtiendo, poco a poco, de nuevo en niñas.

El padre de Esmeralda estaba muy extrañado de todo lo que veía y no sabía por dónde salir. De pronto vio que se le acercaba Esmeralda y que le daba un abrazo muy fuerte y le llenaba la cara de besos.

Todas las niñas empezaron a decir:

—Nos queremos ir con Esmeralda y con sus papás, nos queremos ir con Esmeralda y con sus papás.

El padre de Esmeralda, que era muy bueno, les dijo:

—Bien, venid conmigo; nosotros somos pobres pero no importa, porque como habéis sido palomas ya sabéis buscaros la comida.

Cuando llegaron todos a la casa, la madre de Esmeralda se puso muy contenta y dijo:

—Ahora sí que voy a tener limpias las ropas y reluciente la casa, ¡con tanta niña!

Pasaron muchos años, vivieron todos muy felices en la casita cubierta de enredadera, y cuando salían a pasear se acordaban de que habían sido palomas y se decían las unas a las otras:

—¿Os acordáis de lo pequeñitas que se veían las casas cuando íbamos volando?

En el pueblo cercano hubo grandes festejos y todos eligieron al padre de Esmeralda para que fuese alcalde y los gobernase.

Cuando el padre de Esmeralda se sentó en el sillón de alcalde, que estaba todo forrado de raso carmesí, dijo:

—Voy a dar una orden.

Vino corriendo el escribiente, para apuntar lo que iba a decir el alcalde, y el padre de Esmeralda le dijo:

—Apunta, escribiente, lo que te voy a decir: Desde hoy se prohíbe cazar palomas porque a lo mejor son niñas y, aunque no les apuntasen bien, se iban a asustar mucho.

Las palomas de todo el mundo, al irse enterando, se fueron poco a poco a vivir al pueblo donde era alcalde el padre de Esmeralda y llegó a haber tantas que los vecinos tuvieron que plantar árboles aprisa y corriendo, porque todos los árboles del bosque no tenían ramas bastantes para que se posasen las palomas cuando se cansaban de volar.

VOCACIÓN DE REPARTIDOR

Robertito tenía seis años, el pelo colorado, un jersey a franjas, dos hermanas más pequeñas que él y una ilimitada vocación de repartidor de leche. El misterioso planeta de las vocaciones está por explorar. El misterioso planeta de las vocaciones es un mundo hermético, recóndito, clausurado, pletórico de una vida imprevista, saturado de las más insospechadas enseñanzas.

—Niño, ¿qué vas a ser?

—General, papá.

El día estaba espléndido, radiante, y las golondrinas volaban veloces, al claro y cálido sol.

—Niño, ¿qué vas a ser?

El día está nublado y frío, desapacible y gris. El niño rompe a llorar con un amargo desconsuelo.

—Nada, yo no quiero ser nada.

A Robertito, por la mañana temprano, la madre lo lava, lo peina, le echa colonia, le pone su jersey a franjas y le da de desayunar.

Robertito está nervioso, impaciente, preocupado, imaginándose que el reloj vuela, desbocado, desconsiderado. En cuanto Robertito se toma la última tierna, aromática sopa de café con leche, se lanza como un loco escaleras abajo. A Robertito le va latiendo el corazón con violencia. A Robertito, su libertad de cada mañana le hace feliz, pero su felicidad es una felicidad de finísimo cristal frágil de quebrar.

Robertito, ya en la calle, sale arreando hasta una esquina lejana, la distante esquina en la que piensa durante todo el día.

A lo lejos, por la acera abajo, vienen ya Luisito y Cándido, dos niños de nueve y diez años, los dos niños de la lechería, que ya han empezado el reparto, que ya se ganan su pan de cada día.

Luisito y Cándido son los dos héroes de leyenda de Robertito, sus dos espejos de caballeros. Robertito hubiera dado gustosamente una mano por conseguir la amistad de los dos niños de la lechería, su tolerancia al menos.

A Robertito le empieza a latir el corazón en el pecho y una dicha inefable le invade todo el cuerpo. Luisito y Cándido, sin embargo, no piensan ni sienten, ni tampoco padecen lo mismo.

—¿Ya estás aquí, pelma?

Robertito siente ganas de llorar, pero procura sonreír. ¿Por qué Luisito y Cándido no quieren ser sus amigos? ¿Por qué no lo tratan bien?

—Sí —responde Robertito con un hilo de voz.

Robertito está relimpio, repeinado, casi elegante. Sus dos huraños, imposibles amigos, aparecen sucios, despeluchados, desastrados. Robertito y los dos niños de la vaquería hacen un trío extraño; evidentemente, Robertito es el tercero en discordia.

—¿Me dejáis ir con vosotros?

La voz de Robertito es una voz dulcísima, suplicante.

—¡No! —oye que le responden a coro.

Robertito rompe a llorar a grito herido.

—¿Por qué?

—Porque no —le sueltan los dos—, porque eres un pelma, porque no queremos nada contigo, porque no queremos ser amigos tuyos.

Luisito y Cándido salen corriendo con el cajoncillo de lata donde guardan los botellines de leche. Robertito, hecho un mar de lágrimas, corre detrás. Él no se explica por qué no le permiten que los acompañe a repartir la leche; él les daría conversación, les ayudaría a subir los botellines a los pisos más altos, les iría a recados con mucho gusto. A cambio no pedía nada: pedía, ¡bien poco es!, que lo dejasen marchar al lado, como un perro conocido.

Al llegar a una casa, los dos niños de la lechería se paran. Robertito se para también. Hubiera dado cualquier cosa porque le dijeran: anda, quédate guardando las cacharras, o anda, súbete esto al séptimo izquierda, pero Luisito y Cándido ni le dirigen la palabra.

Los dos niños de la lechería se meten en el portal, y Robertito, empujado por un fuerza misteriosa, entra detrás.

—Oiga, portero, eche usted a éste, que es un pelma, éste no viene con nosotros.

Robertito, al primer descuido del portero, sale corriendo detrás de los niños, subiendo las escaleras de dos en dos. Los alcanza en el sexto, adonde llega jadeante, con la frente sudorosa y la respiración entrecortada.

Los niños de la lechería, al verlo venir, lo insultan.

Robertito llora y grita cada vez más desaforadamente. Un señor que bajaba las escaleras sorprende la escena.

—Pero, hombre, ¿por qué le pegáis, si es pequeño?

—No, señor; nosotros no le pegamos, es que no queremos hablarle.

El señor que bajaba la escalera pregunta ahora a Robertito:

—¿Tú vives aquí?

—No, señor —respondió Robertito entre hipos.

—¿Y eres de la lechería?

—No, señor.

—¿Y, entonces, por qué vienes con estos?

Robertito miró al señor con unos ojos tiernísimos de corza histérica...

—Es que es lo que más me gusta.

Por aquel misterioso planeta, aquel séptimo cielo de las vocaciones que no se explican, corría una fresca, una lozana brisa de bienaventuranza.

El niño Raúl era un niño con personalidad; esto es, un niño flaquito, paliducho, que hacía, más o menos, lo que le daba la gana. El niño Raúl tendía a la histeria, a la misantropía y a la holganza, como los sabios de la antigüedad. El niño Raúl tenía manías, una bicicleta y diez o doce años.

Al niño Raúl, aquella temporada, lo que le preocupaba era tener una oreja más grande que otra. El niño Raúl se miraba al espejo constantemente, pero el espejo no le sacaba demasiado de dudas; en los espejos que había en casa del niño Raúl jamás podían verse las dos orejas a un tiempo.

El niño Raúl, preocupado por sus orejas, pasaba por largos baches de tristeza y de depresión.

—¿Qué te pasa? ¿Por qué estás con esa cara? —le decía su padre a la hora de comer.

—Nada... Lo de las orejas... —contestaba el niño Raúl con el mirar perdido.

El niño Raúl, a fuerza de mucho pensar, descubrió que la mejor manera de medir las orejas era con la mano, cogiéndolas entre dos dedos, las dos al mismo tiempo, y llevando la medida a pulso, un momento, por el aire —¡por un momentito no había de variar!— para ver si casaban o no casaban.

Lo malo del nuevo procedimiento fue que, contra todos los pronósticos, no resultaba de gran precisión, y la oreja izquierda, por ejemplo, tan pronto aparecía más grande como más pequeña que la oreja derecha. ¡Aquello era para volverse loco!

El niño Raúl empezó a prodigar las mediciones, a ver si conseguía salir de dudas, y hubo días —días excepcionales, días de suerte y de aplicación, días radiantes— en que llegó a medirse las orejas hasta tres mil veces.

Los movimientos del niño Raúl para medirse las orejas eran ya automáticos, eran ya unos movimientos casi reflejos, y el niño Raúl llegó a tal grado de perfección, que se medía las orejas como hacía la digestión, o como le crecían el pelo y las uñas, o como crecía todo él, que era un niño larguirucho, desangelado, desgarbado.

Mientras estudiaba la física, mientras se bañaba, mientras comía, el niño Raúl se medía las orejas incansablemente y a una velocidad increíble.

—¡Niño! ¿Qué haces?

—Nada, papá; me mido las orejas.

El niño Raúl vivía con sus padres y con sus hermanos en un chalet de la carretera de Chamartín. La cosa, para el niño Raúl, había ido marchando bastante bien —con algún grito de vez en cuando—, pero la fatalidad, siempre al acecho, hizo que al padre de Raúl se le ocurriera pensar que lo único que faltaba en el jardín era un gallinero, y allí empezó la ruina y la decadencia del niño Raúl.

—¡Un gallinero! —decía el padre del niño Raúl con entusiasmo—. ¡Un gallinero pequeño, pero bien construido! ¡Un gallinero poblado de gallinas leghorn, que son muy ponedoras!

El niño Raúl seguía midiéndose las orejas mientras veía levantarse el gallinero. Los dos albañiles que lo construían miraban con aire de conmiseración al niño Raúl pero el niño Raúl ni imaginaba que aquella compasión fuera por él.

Y como pasa con todo, llegó el momento en que el gallinero se terminó. Quedaba mono el gallinero con su tejadito y con su tela metálica.

—¡Bueno! —dijo el padre del niño Raúl—. ¡Por fin está terminado el gallinero! Ahora lo único que faltan son gallinas. Compraremos gallinas leghorn, que son muy ponedoras. Pero iremos poco a poco, no conviene precipitarse. De momento, compraremos dos gallinas y un gallo. ¡Raúl!

El niño Raúl se estaba midiendo las orejas.

—¡Voy, papá!

—Acompáñame tú, que eres el mayorcito. ¡Vamos a comprar dos gallinas y un gallo de raza leghorn!

—Muy bien, papá.

—¿Estás arreglado?

—Sí, papá.

—¡Pues andando!

Era una radiante mañana de primavera. El niño Raúl y su padre se perdieron en el horizonte, a través del campo, camino de la Ciudad Lineal, donde había una granja muy afamada.

El padre del niño Raúl iba delante, con paso firme y decidido y aire de jefe de una familia bóer colonizadora del África del Sur. Daba gusto verlo. El niño Raúl se quedaba atrás, midiéndose las orejas, y después daba un trotecillo para alcanzar a su padre.

Al cabo de hora y pico de andar, el niño Raúl y su padre llegaron a la granja. El niño Raúl iba algo cansado, pero no decía nada. La oreja izquierda era ligeramente más grande que la derecha...

—¿Qué desean?

—Deseamos dos gallinas y un gallo de raza leghorn. Queremos unos buenos ejemplares. Son para inaugurar un gallinero.

El encargado de la granja miró para el niño Raúl, que estaba midiéndose las orejas.

El encargado de la granja se metió entre las gallinas y, ésta quiero, ésta no quiero, salió con dos gallinas blancas, relucientes, que tenían una pulserita en una pata.

—¡Raúl! —dijo el padre—, coge estas gallinas. Ponte una debajo de cada brazo y sujétalas con la mano.

—Bien, papá.

El encargado se perdió un momento y volvió con un gallo orondo, un gallo espléndido que parecía de anuncio. El padre del niño Raul pagó y cogió el gallo en brazos, casi con mimo, como si fuera un hijo.

El niño Raúl y su padre, los dos con su preciada carga, emprendieron el camino de vuelta.

—¡Qué contenta se va a poner mamá cuando los vea!

—¡Ya lo creo!

El niño Raúl y su padre caminaron en silencio unos cientos de metros. El aire, de repente, se puso turbio dentro de la cabeza del niño Raúl. El niño Raúl sintió como un ligero vahído. Las piernas le flaquearon y la voz se le quedó pegada a la garganta. La mente del niño Raúl vio como en una agonía, perfectamente claras, las escenas de su más remota niñez. El niño Raúl se puso pálido y rompió a sudar. Un temblor le invadió todo el cuerpo.

—¿Te encuentras mal?

El niño Raúl no pudo contestar. Miró a su padre con una ternura infinita, procurando sonreír con una sonrisa que pedía clemencia a gritos, soltó las gallinas y se midió las orejas.

LA HORA DE DAMIANCITO

El señorito Damián —Damiancito para los más íntimos, para las tías, tíos y demás parientes— estaba perplejo, hecho un mar de confusiones, un cúmulo de incertidumbres. ¿Y mi hora?, decía entre hipos y sollozos, ¿qué han hecho de mi hora?, ¿dónde han echado mi hora, aquella hora llena de felices presagios, de dichosas promesas?, ¿dónde está mi hora? ¡Ah!, repetía una y otra vez, ¡no somos nadie! ¡Nadie, absolutamente! ¡Esto es horrible, espantoso! ¿Qué habrán decidido hacer con mi hora?

Damiancito se mesaba los cabellos —como las heroínas de las novelas de Ponson du Terrail— mientras paseaba su habitación para arriba y para abajo, más bien como un gato que como un tigre enjaulado.

Damiancito, que era un pensador, había hecho ya descubrimientos sensacionales en el terreno de la pura especulación científica. Pero a Damiancito —joven exigente consigo mismo— le atormentaba no haber dado todavía con la solución de varios problemas que atosigaban su mente. Él era inventor de un reloj sin cuerda, y que naturalmente no fuera ni de sol ni de arena; él era autor de una definición de la prescripción adquisitiva o usucapión, mejor que la de los mejores tratadistas de derecho romano; él habría resuelto, a no ser por su padre que le prohibió experimentarlo, el problema del vuelo en aparatos de igual peso que el aire (ni más, como los aviones, ni menos tampoco, como los globos dirigibles); él, en fin, había descubierto un banco de arena no registrado por ninguna carta, en la ría de Arosa. Pero a él, sin embargo, le quitaba el sueño no haber dado todavía con el quid de media docena de cuestiones: la cuarta dimensión en el problema de los cuerpos, la cuadratura del círculo, el movimiento continuo, la fabricación del oro a partir del bicarbonato (producto, sin duda alguna barato y de fácil obtención), la industrialización de la fuerza de las mareas y, ¡sobre todas las cosas!, la hora, su hora, lo que la posteridad llamaría sin duda: la hora de Damiancito.

Alguien, al oírle hablar de su hora, pudiera pensar que la hora de Damiancito era una hora vulgar, corriente y moliente, una hora como la de todo el mundo. Nada más lejos de la verdad. De la hora de Damiancito nadie podría decir, como de la hora de cualquiera: ya le llegó su hora a Damiancito; la hora inexorable de su muerte; la alegre hora de su boda o de su elección para académico de la de Ciencias Morales y Políticas; la hora tormentosa de su destierro o de su tos ferina; la triste hora de su viudedad. No, la hora de Damiancito era algo que jamás llegaría, algo que nadie podría devolver jamás, algo que se había perdido ya para siempre, como una gamba marcada con una banderita en medio del mar. La hora de Damiancito... Bueno, ¡la hora de Damiancito!

¿Ustedes se acuerdan? Un día, ya tan lejano como nefasto, a un ministro —nadie recuerda de qué remoto país— se le ocurrió la idea de sisar una hora a sus gobernados. Eligió una disculpa cualquiera —creemos recordar que la llegada del verano—, escribió unas cuartillas de justificación —el preámbulo del decreto— y ni corto ni perezoso llevó su articulado a las páginas de la *Gaceta* de su país. La gente, que no tenía suficiente finura para dejarse envejecer por horas, no se dio cuenta, la cosa prosperó y la sentencia corrió como un reguero de pólvora y se extendió por todo el orbe conocido.

Cuentan que el ministro, ya viejo y con la conciencia propicia para todos los remordimientos, se encontró multimillonario de horas. Cuentan también que la muerte le sorprendió cuando, como Nobel, quiso subsanar el mal hecho con una fundación benéfica, un centro donde los investigadores se aplicasen en buscar la fórmula para que la humanidad recupere su hora.

Nada podemos decir de lo que haya de verdad en estas cuestiones. Lo único cierto es que la especie humana, que suele tardar en percatarse de sus desdichas, no se dio cuenta de nada y vivió feliz, incluso muy feliz, hasta que a Damiancito se le ocurrió pensar en qué había pasado con la hora.

Sus padres, asustados, lo llevaron, con la complicidad de algunos amigos, a la clínica de un psiquiatra y el psiquiatra le recomendó que hiciera un crucero por el Mediterráneo. Damiancito obedeció, navegó el Mare Nostrum preguntando por su hora y al cabo de los meses, ya de vuelta a su casa de Madrid, salió de la clínica del psiquiatra, camino del manicomio, preguntando con una congoja infinita y una resignación sin límites por su hora, por el destino que le habían dado a la hora de su corazón, a la hora que, casi no se atrevía a decirlo, le habían robado...

EL VOLCÁN

Cuento para histéricas

Martita subió las escaleras a oscuras. Al llegar al primer rellano se le antojó ver un hombre.

—¡Ay!

Una cabeza de ciervo que asomaba de la pared siguió imperturbable. El ciervo —un trofeo de caza del abuelo de Martita, el brigadier Carrascosa— tenía una cabeza llena de cuernos, como los sueños que, según el profesor Jung, implican trastornos gástricos.

Martita se tranquilizó. Martita tenía cuarenta y dos años, un poblado bigote, gracias a Dios, rubio, y un pudor tan sentido como acreditado.

—¡Este Manolín!

Manolín era el ciervo.

Martita sonrió. Un escalofrío le recorrió su honesto espinazo.

—¡A veces se le ocurre a una cada figuración!

La mente de Martita estaba poblada de niños, como un jardín de infancia. Los niños rubios reñían con los niños morenos, con los niños castaños, con los niños pelirrojos. Había un niño monísimo que era el vivo retrato del padre Manjón. Llevaba gorrita de visera y jersey de punto, color beige clarito, y tenía cara de paciencia y mirar resignado.

El quinqué que lucía, aún distante, en el piso de arriba, osciló como una conciencia. Parecía como si alguien soplara desde las sombras.

Martita subió de prisa, muy de prisa, el último tramo de la escalera. Pensaba velozmente y sin coordinar; hubiera hecho un magnífico cervantista.

Al llegar a su alcoba encendió la luz, se sentó en la cama que, como es lógico, tenía una colcha de moaré, y se puso a leer *Pequeñeces,* del padre Coloma. Martita leía siempre *Pequeñeces,* del padre Coloma; algunos días, por eso de que en la variación está el gusto, leía *Boy.*

Después, antes de acostarse, puso derecha una bandejita de plata que estaba encima del tocador, una bandejita de fina plata labrada que, probablemente, ya estaba derecha. Miró unas fotos de mamá, de joven; se dio sobre el cutis una ligera capita de crema de noche, se enfundó en su camisón color naranja, un camisón imperio que le favorecía mucho; se acostó y apagó la luz.

Martita tardaba, por lo general, en dormirse. El médico le había dicho que su insomnio era propio de la juventud; que todas o casi todas las chicas jóvenes solían padecer insomnio.

Ya dormida, soñó con un volcán. El volcán echaba torrentes de lava por su cráter, rugidores torrentes de lava envueltos en densos nubarrones color gris perla. Se despertó sobresaltada, encendió la luz y se incorporó en su lecho. Su lecho estaba pintado de laca rosa y no respondía a un estilo demasiado definido.

Pensó entonces en la primavera, en los violines, en las rosas de té, en los toffes de chocolate, en multitud de cosas, todas ellas suaves y aterciopeladas. Martita trataba de distraer su atención, de borrar de su cabeza la idea terrible de aquel volcán que no hacía más que vomitar lava y más lava, sin consideración alguna.

Pensando en el volcán, ¡también es fatalidad!, Martita volvió a dormirse. Al día siguiente, cuando su doncella le llevó el desayuno a la cama, le dijo:

—Señorita, han traído esto para usted.

Sobre la colcha dejó la doncella unas orquídeas metidas en una cajita de cristal y una carta con un sobre muy elegante, alargadito. Martita rasgó el sobre nerviosamente y leyó:

Mi distinguida señorita:
Desde que tuve la dicha de conocerla no puedo vivir tranquilo. Al recuerdo de su belleza y de su virtud no puedo anteponer en mi imaginación ningún otro recuerdo. Piense usted en lo grave y apurado de mi situación. Soy contable de una fábrica de jabones —la fábrica conocida con el nombre de La Esmeralda— y, desde que la conocí, no puedo hacer un solo asiento con cierto sosiego. Estoy con un pie en la calle; pero me conforta pensar que he tenido el placer de estrechar su mano entre las mías; su mano, adorada Martita; permítame que la tutee; tu mano, Martita amada, Martita mía...
Perdón; no sé lo que digo.
Estoy loco, loco por ti, y sólo espero un gesto tuyo para ser el hombre más feliz del globo.
Tuyo, Evaristo Nomdedeu.

Martita no tuvo más tiempo libre que para tocar (perdón, léase pulsar) el timbre. Después se desmayó. Su doncella, al verla tan pálida y tan callada, se sofocó y empezó a gritar. Subieron al cuarto de Martita todos su familiares, y le dieron a oler un frasquito de sales. Cuando vino el médico, Martita ya iba recuperando el sentido. Su padre había guardado la carta en el bolsillo de la americana, aquella carta que tanto daño había hecho a su hija, y había ordenado que pusieran las orquídeas en el hall, en un florero con agua y un poco de aspirina, que siempre se conservan mejor.

—¿Tiene algo grave? —inquirió al oído del doctor.

—No, nada; una emoción fuerte.

—¡Pobre hija mía!

Las criadas miraron desde entonces con cierto respeto a la señorita Martita. Nada impresiona más a las criadas que la histeria de la señorita de la casa.

A los pocos días, a Martita le apareció una erupción cutánea. El médico, al verla, le gastó una bromita.

—Parece usted un volcán, Martita.

Martita entonces, volvió a desmayarse. El médico no se explicaba nada de lo que ocurría.

* * *

Entre tanto, en su sórdida buhardilla, el contable cesante Evaristo Nomdedeu componía, rima tras rima, un largo poema en loor de su imposible amor, de su lejano amor, de su inmarcesible, desgraciado amor...

Los gatos andaban por los tejados y las estrellas brillaban en el firmamento. Amanecía sobre la ciudad. Los pajaritos piaban, ateridos de frío, y los traperitos iban en sus carros a recoger las basuritas...

MEMORIAS DEL CABRITO SMITH, CHIVO INSURRECTO

Cuento montaraz

> El famoso cabrito Smith, chivo insu-
> rrecto, ha levantado en armas una par-
> tida en las estribaciones de la sierra de
> Gredos. Se han organizado batidas, has-
> ta ahora con resultado infructuoso.
>
> (De los periódicos.)

I

Me llamo Roberto Smith y Jabalquinto, soy natural de Fresnedilla de la
Oliva de Plasencia, provincia de Cáceres, tengo cinco años y mi vida, si
bien no ejemplar, tampoco es, bien mirado, la de un facineroso. Uno no
vive casi nunca la vida que quiere sino la que puede. Mi vocación hubiera sido la de llevar la vida de un chivo honesto; la de pasarme las horas
muertas tumbado a la sombra de un árbol frutal, rumiando fresca hier-
ba o aromático heno, viendo pasar las nubecillas de la primavera y leyendo a fray Luis o a Garcilaso. Pero la vida me ha empujado sin contem-
placiones y hoy me encuentro al frente de una partida que me teme y me
obedece, convertido en un chivo de acción. ¡Vaya por Dios!

Mi padre, don Walter Smith, fue un hermoso ejemplar chamoisée
de los Alpes, recriado en el Devonshire inglés y traído más tarde a
Fresnedilla de la Oliva por la razón social Agapito López y Hermanos,
Importadores de Cabras del Reino Unido, hombres que hicieron una saneada fortuna con esto de traernos y llevarnos de un lado para otro. Mi padre
fue siempre un chivo serio y conspicuo, orgullo de su tribu y espejo y
guía de chivos de pro. Su recuerdo aún permanece inalterable entre todos
nosotros, y su recto proceder y su noble estampa son siempre recordados
con cariño y con respeto.

Mi madre, doña Teresita Jabalquinto, la pobre ya era otra cosa.
Cabra casquivana y amiga de afeites, la doña Teresita salió de armas
tomar y, primero a sus padres y más tarde a su marido, trajo a todos por
el camino de la amargura. Sin pedigree conocido, mi madre era eso que,
vagamente, se llama una cabra del país, denominación que no cualifica,
pero que sí diagnostica de coqueta y husmeadora en corral ajeno, de coti-
lla y poco discreta, y de mala esposa y madre no mejor. Me apena tener
que dar esta información de mi propia madre, pero estas páginas mías
son como un testamento que no conviene falsear. La pobre doña Teresita

para colmo de males y de paciencias, se pasó más de media vida contagiándole las fiebres de Malta a los pobres cristianos que no habían hecho otro delito que consumir su leche al desayuno y al final —y como quien mal anda, mal acaba— fue a morir de una manera trágica, atropellada por un camión que traía encima cinco mil kilos de uva de Cebreros, carga dulce, ciertamente, pero quizás demasiado pesada para una sola cabra. La pobre quedó como una oblea y poco debió sufrir porque al llegar al lugar del suceso, a los escasos instantes de acaecido, ni resollaba. Para mí fue un rudo golpe verla, en medio del camino, plana como un bacalao, pero para mi padre que era muy sentimental, como buen chivo del norte, el hecho tomó caracteres casi trágicos y se pasó los días, y aun las semanas, llorando a moco tendido, con el mirar lleno de tristeza y la barbita fláccida y desflecada.

—¡Ay, Teresita, Teresita! —decía don Walter en su dolor—. ¡Qué insensata has sido toda tu vida!

Cuando me quedé huérfano pasé por momentos apurados porque el amo, creyendo que no prosperaría, pensó en asarme para el día de la patrona, pero cuando le demostré que prefería la yerba —aunque al principio me hacía algo de daño al estómago— al fuego lento, me fue perdonando la vida y, con el tiempo que gané, me hice mayor y más duro, que es la salvación de los chivos, porque cuando llegamos a cierta edad no hay quien nos meta el diente.

Mi padre, que al principio tan afectado estaba, casó en segundas nupcias con mi tía Clotilde Jabalquinto, la hermana menor de mi madre, y de este segundo matrimonio nacieron cinco chivos, todos machos: Napoleón, que ahora es mi lugarteniente, Walter, Adolfito, Silvestre y Victoriano, el benjamín, que cuando dejé de verlo, era un chivillo blanco y retozón.

II

Me eché al monte cuando maté de una topada a Paulino Elizondo, un chivo viejo y aflamencado que me tenía muy harto. El pobre resultó más blando de lo que yo lo imaginaba, y se fue a criar malvas a la primer embestida.

En el monte, solo y errabundo como andaba, me aburría como una ostra y, por entretenerme, me dediqué durante algún tiempo a atracar ovejas, animal odioso y asustadizo a quien me divertía espantar. A las ovejas, cuando las arrimaba a alguna cerca para desvalijarlas, se les hinchaba el morro de miedo que tenían y se les ponían los ojos tiernos y llenos de agua.

Con el lobo preferí pactar porque, aunque cuando lo veía venir me daba tiempo a llegar brincando a las rocas altas, aquellas que él no podía escalar, el estar con la atención despierta para que no me cogiera desprevenido, era algo que me tenía sobresaltado y que me hacía perder un tiempo hermoso.

Me acerqué a la guarida del lobo y, desde una peña, le hablé:

—Señor lobo: yo, a pesar de mi esquila, no soy un chivo doméstico, un cabrito de corral sometido dócilmente al hombre, como mis compañeros de especie. No. Yo soy un chivo insurrecto, un chivo sublevado, que me eché al monte porque no aguantaba la esclavitud y porque llevo los cuernos manchados de sangre, como usted tiene los colmillos. Yo, salvo que soy vegetariano, vivo igual que usted al margen de la ley y, sin que por eso quiera discutir su dominio del monte, en el monte he de vivir, como usted vive, y del monte he de hacer mi hogar, mi refugio y mi campo de operaciones.

—¿Y qué quieres de mí, insensato chivo? —me preguntó el lobo.

—Pues, lo que quiero es pactar con usted, señor lobo, y a eso he venido. Que pienso que los dos podemos salir ganando si nos ponemos de acuerdo.

—¿Y qué me ofreces?

—Una oveja a la semana: no una cabra, que me parecería traición vender a mis hermanos.

—¿Y qué pides?

—La paz con usted y con los suyos, y el que me quiten esta esquila que me humilla y que me resta prestancia. Con un cencerro al cuello, ¿quién me había de tomar por un chivo de acción?

—¿Y cumplirás lo ofrecido?

—Sí, señor lobo, por la cuenta que me tiene, usted lo ha de ver. Mañana le traeré a usted el primer cordero.

—Pues baja de la peña, que acepto tus condiciones. Esta noche te presentaré a todos los lobos del contorno y ten la certeza de que todos los lobos del contorno te respetarán, si cumples. Anda, ven aquí que te quite la esquila, que estás ridículo con ella y pareces un siervo.

Bajé de la peña, me llegué al cubil del lobo y él, poniéndome una pata en el hombro, me dijo con gran parsimonia:

—Tengo mala fama, tú lo sabes, pero buena palabra, una palabra de oro de ley. Desde este momento somos amigos y nuestra amistad puede durar toda la vida. Si alguna vez necesitas defensa, o un servicio especial de protección, no tienes más que venir a verme. Pero no olvides que si me traicionas o intentas engañarme, no has de durar más de lo que tarda un pájaro en saludar la mañana.

—Descuide usted, señor lobo, que no lo olvidaré.

—Mejor para ti. Anda, estira el cuello para que te suelte la correa del cencerro.

—Pero..., ¿la va usted a soltar con los dientes?

—No, hijo, que con los dientes me darías malas tentaciones y no quiero ser yo quien rompa el pacto. Tranquilízate y no temas, que te la soltaré con las uñas, aunque tardemos un poco más.

El lobo me quitó la campanilla y luego, dándome un espaldarazo, me dijo:

—Quedas armado caballero del monte. Ahora, con la cabeza erguida y la barbita en punta, ya puedes presumir de capitán de chivos insurrectos. ¿Cómo te llamas?

—Roberto Smith y Jabalquinto.

—Muy bien. Chivo Smith, que los hados del bosque te sean propicios y que ellos te guarden durante largos años.

Las palabras del lobo me llenaron de emoción. Aquella vida noble y de emociones era la que a mí me gustaba.

—Muchas gracias, señor lobo, y usted que lo vea. ¿Y usted, cómo se llama?

—Me llamo Wolf. Yo —añadió el lobo como disculpándose—, aunque opero en Castilla, nací en la Selva Negra.

En los ojos del lobo brilló como un destello de nostalgia.

III

Mi pacto con el lobo Wolf me dio un resultado espléndido. Los dos cumplimos como caballeros y yo vi crecer mi prestigio como la espuma, no ya entre las cabras de muchas leguas a la redonda, que se hacían lenguas de mí y presumían de mis hazañas, sino incluso entre las alimañas del monte —lobos, zorros, garduñas, martas y hurones— que me respetaban y me miraban con simpatía.

Fue por entonces cuando se me ocurrió levantar mi primera partida. Hice algo de propaganda por los rebaños de Guadarrama y Somosierra, y llegué a reunir veintitantos chivos selectos, bizarros y valerosos, que me obedecían ciegamente y que, ni por asomo, discutían mis órdenes. ¡Qué partida aquella y con qué nostalgia la recuerdo hoy, con qué amor y simpatía!

Con ellos a la espalda —salvo dos que dejé cerca del lobo Wolf, encargados de velar por el cumplimiento del tributo de las ovejas— me dediqué al pillaje desde Hiendelaencina, en Guadalajara, hasta Candelario, en Salamanca, siguiendo la línea de los montes, y llegué a reunir una fortunita bastante saneada, aunque de todas las presas daba la mitad a mis chivos. Pero si mis chivos se portaban bien e incluso heroicamente cuando hacía falta, ¿cómo yo no había de premiar su conducta para procurar tenerlos contentos? En la psicología del mando de cuadrillas está escrito, con letras de oro, el que el jefe no se muestre nunca avaricioso.

Pero yo entonces era todavía muy joven —y la juventud es un lujo que ha de pagarse a costoso precio—, el poder me emborrachó y no se me ocurrió mejor cosa que presentar batalla a una pareja de la guardia civil. ¡Nunca lo hubiera hecho y qué cierto es que Dios ciega al que quiere perder! La pareja al principio, nos tomó por un hato de cabras mansas y no nos hizo ni caso, pero cuando nos destapamos y la emprendimos a topadas, montaron los fusiles y nos soltaron tal cantidad de tiros que bien puede decirse que aquella fue la noche de San Bartolomé de los chivos insurrectos. ¡Qué tíos, qué de prisa disparaban y qué puntería tenían! Aquello fue el fin de la partida. ¡No quiero ni acordarme! Nuestra derrota fue de tal magnitud, fue una derrota tan en regla, que no pudimos ni recoger los cadáveres, que quedaron en poder del enemigo. ¡Qué masacre nos hicieron!

Yo libré ileso de verdadero milagro y, solo y cabizbajo, fui a reponer mis nervios a la guarida del lobo Wolf. Quise ser una cabra histórica —algo así como la cabra Amaltea, que amamantó a Júpiter y, en premio, pasó a las constelaciones— pero me las dieron todas en el mismo carrillo. ¡Válgame Dios y qué insensato fui! En aquella ocasión pienso que salió en mí a relucir la sangre pintoresca y atrabiliaria de doña Teresita Jabalquinto que, aunque era mi madre, justo es reconocer también que era una cabra loca.

El lobo Wolf, cuando le conté la aventura de la que tan malparado salí, me riñó paternalmente, como hubiera podido reñir a un hijo o a un hermano pequeño.

—Pero, chivo alocado —me dijo—, ¿en qué cabeza cabe presentar batalla al hombre, que es el único animal que gana siempre? Si yo, siendo lobo, le busco las vueltas, para no encontrármelo, ¿cómo tú, chivo ridículo, has querido darle la batalla en su terreno? Has librado de milagro, hijo mío, de verdadero milagro, y ya puedes dar gracias si esto te sirve de aprendizaje y de escarmiento. La guerra no debe hacerse más que por necesidad y, aun así, conviene tentarse antes la ropa. Soy lobo viejo y puedo asegurarte que no hay enemigo pequeño. ¡Mira que atacar a dos hombres armados de fusiles! Tu acción es tan disparatada que no demuestra ni valor, pero esto, aquí entre los dos, vamos a callárnoslo porque nadie lo entenderá así y todos pensarán que, en vez de ser un insensato, eres un héroe.

—Gracias, señor lobo —le respondí—, se lo agradezco a usted mucho.

—De nada, hijo, pero prométeme no hacer más locuras, que así no vas a ningún lado.

—Prometido, señor lobo; se lo prometo a usted solemnemente.

El lobo Wolf me había cobrado cariño y bien es cierto que yo le correspondía. Los lobos, tratados en la intimidad, son tiernos y sentimentales y tienen sus afectos y sus simpatías, como cada hijo de vecino. Nunca es tan fiero el león como lo pintan.

IV

A raíz de mi derrota, viví en la paz y el sosiego de la casa del lobo una larga temporada, sin ocuparme de nada más que de reponerme, porque hasta lo de la oveja semanal era del negociado de los dos chivos leales que me quedaban, aquellos que, durante la existencia de la cuadrilla, estaban destacados en comisión de servicio cerca de la guarida de don Wolf.

Con reposo y algo de sobrealimentación pronto me recuperé y, como no quería serle gravoso al lobo, una mañana me despedí de él dispuesto a hacer la guerra por mi cuenta.

El bandolerismo en solitario, aunque entretenido, resulta fatigoso y un tanto expuesto. Un chivo solo, subiendo y bajando montes en pos del condumio y la aventura, está siempre un poco vendido ante los mil peligros que le acechan.

Una tarde que estaba sesteando, al abrigo de unas jaras, en el campo de Pedro Bernardo, al pie de la sierra de Gredos, fui reconocido por unas cabras que iban de paso.

—Buenas tardes. ¿Tú no eres el cabrito Smith, el chivo insurrecto, orgullo de todas las cabras de España?

Aquel trato me llenó de orgullo.

—Yo soy. ¿Queréis algo de mí?

Las cabras hablaron un rato entre ellas y un chivo pardo y bien lucido se destacó del grupo.

—Pues, sí. Queremos decirte que nos apena verte solo y sin poder. Queremos decirte también que estamos hartos de esclavitud y que si tú nos mandas, contigo nos vamos a donde nos lleves.

En aquel momento nació mi segunda partida. Lo que haya de ser de ella, sólo Dios, que está por encima de todos, lo puede saber. Pero yo no podía hacer oídos de mercader a la llamada de la sangre. Los héroes no nos pertenecemos.

Sé, por los periódicos, que se ha puesto precio a mi cabeza y que se han organizado batidas para mi captura. Nada podrán contra mí. Perdiendo he aprendido mucho.

UN PASEÍTO HIGIÉNICO

A aquel hombre taciturno, pequeñito, paliducho, le había recomendado el médico los paseítos higiénicos.

—¿Por dónde? —había preguntado.

—Por donde quiera.

—¿Durante cuánto tiempo?

—Durante un tiempo prudencial.

—¿A qué hora?

—A una hora sana.

—Muy bien, muchas gracias.

Aquel hombre perfectamente fuera de dudas ya, inició sus paseítos higiénicos con una marcha sobre El Escorial. Llegó algo cansado, esa es la verdad, quizás porque cincuenta kilómetros son demasiados para quien no está todavía bien entrenado, pero llegó. Su conciencia estaba tranquila aunque sus piernas le temblaban un poco y su corazón le latía desaforadamente, descompasadamente.

Descansó ocho días en la cama, en una pequeña pensión del Escorial, y emprendió el viaje de regreso: otro paseíto higiénico.

Ya en Madrid fue al café, contó su hazaña y vio, con extrañeza, que no se la creía nadie.

—¿Que te has ido al Escorial andando y vuelta a pie? ¡Vamos, anda!

Aquel hombre en otro tiempo taciturno y paliducho, seguía pequeñito, pero tenía ya un hermoso color tostado por el sol. Así, por lo menos, se le antojaba verse a él.

—Pues sí, señores. Al Escorial de un tirón, un descansito, y desde El Escorial de otro tirón. ¿No me creéis? ¡Peor para vosotros! ¡Ninguno de vosotros es capaz de hacer lo que yo hice!

—¡Una barbaridad! ¡Eso es una marcha de infantería!

El hombrecito sonrió.

—¡Ca, amigos míos! Eso no es más que un paseíto higiénico.

Pasó algún tiempo y nuestro hombre, viendo que su prestigio estaba en entredicho, cogió la carretera de las Ventas y se acercó hasta

Zaragoza. Al cabo de dos meses, cuando regresó, se dirigió, paso a pasito, al café y dijo como quien no quiere la cosa:

—Buenas tardes; he estado en Zaragoza.

—¿También a pie?

—Sí, también a pie.

La carcajada de sus contertulios fue una carcajada de las que marcan toda una era. Cuando el hombre se marchó, cariacontecido y lleno de pesar, los amigos deliberaron, acordaron que estaba loco de remate, loco de atar, y decidieron hacer una visita a su mujer, para prevenirla.

Cuando llegaron a su casa, la mujer, con un dedo en los labios les indicó silencio, les ordenó que no alborotasen.

—¡Chist! Mi marido duerme, el pobre vino un poco cansado de su excursión a Zaragoza.

—¡Pero!

—¡Sí! Y me alegro que vengan ustedes para convencerse. Mi marido está muy pesaroso y no hace más que decir: no me creen, ¡pobres desdichados! ¡A ver qué dicen ahora, cuando me vaya dando un paseíto hasta Tierra Santa!

Los mismos prometieron a la mujer hacer todo lo posible para evitar el paseíto higiénico a Tierra Santa. Eso quedaba ya demasiado lejos.

Al día siguiente cuando nuestro hombre llegó al café, los amigos le dijeron:

—Cuéntanos qué tal está Zaragoza.

Y nuestro hombre respiró tranquilo, contó lo de Zaragoza y empezó a olvidarse de lo de Tierra Santa.

EL BAR DE CRISANTITO, EL PENDOLISTA

Crisantito, el del bar, que tenía una letra inglesa que era una divinidad, fue el que perdió a la pobre Celedonia, la chacha de Perico, el niño tonto y entre epiléptico y llorón de los señores de Quevedo (don Federico).

El Crisantito decía que no, que él no había sido, y que la Celedonia era una tía tirada, con más conchas que un cocodrilo, y además una fresca y un pendonazo; pero la gente decía que sí, que él había sido, y que era un truchimán sin conciencia y sin principios, que con eso de la caligrafía se pasaba la vida seduciendo a las mujeres honradas, y que además no respetaba nada y tenía ideas disolventes.

—Un masonazo como una casa es lo que tú eres —le predice su tía doña Trinidad Domínguez, presidenta del C. de C.C. de O.D. (Centro de Calzoncillos y Camisetas de Obreros Descarriados)—, un libertino medio pagano que te irás de cabeza a la caldera.

—Pues no, señora, tía Trinidad. Yo ya sé por qué me dice usted todo eso: por lo de la Celedonia, ¿verdad? Pues sepa usted que la Celedonia no es más que un mico que han querido meterme; pero, ¡sí, sí!, ¡a mí con ésas! Mire usted, tía, cómo será la cosa, que el loro de doña Sonsoles, que siempre fue un loro muy fino y muy correcto, lo que se llama un loro muy de derechas, se pasa el día gritando: enséñame las cachas, Celedonia. ¿Qué dice usted ahora?

Doña Trinidad, al principio, no supo qué responder; ella no había contado con el testimonio del loro.

—Pero, hombre, ¡un loro!

—¿Un loro? ¿Qué tiene usted que decir de un loro? Un loro puede decir las verdades de a puño como cualquiera. Lo que pasa es que en algunas ocasiones la verdad escuece, ¿eh?

Crisantito, cuando lo de la Celedonia, adoptó una postura tremenda de triunfador. Según decían por la vecindad, los rabos de las erres y de las eses y de las efes, cuando hacía un letrerito, eran cada vez más floreados y con más fijos y mejor trazados gordos y finos.

—¡Qué tío, qué letra está sacando!

—Ya, ya; se conoce que las broncas le templan el pulso.

Perico, el niño de los de Quevedo, cuando la Celedonia ingresó en la maternidad, fue a ver al Crisantito y le dijo:

—Oiga usted, Crisantito, ¿por qué hizo eso a mi Cele?

Perico tenía ya quince o dieciséis años.

—¡Vamos, niño! ¡A ver si va a haber formalidad! ¿Quién eres tú para pedirme cuentas?

Perico se puso rojo y empezó a tartamudear:

—¿Que qué, que qué? Pues... qué, qué, qué, qué. Oiga... que, que, que, que de mí no se ríe ni mi padre.

El Crisantito empezó a meterse con Perico y lo echó a patadas del bar; pero Perico, de madrugada, se escapó de su casa, descalzo y en pijama... y le partió la luna del escaparate de un cantazo que entró por la che de gambas a la plancha.

El sereno lo atrapó y le dijo:

—¡Larchán, mangantón, que vas a ir a parar a la cárcel!

El tonto se echó a llorar.

—¡Ay, ay, que mi mamá se va a llevar un disgusto muy grande! Mi mamá es la de Quevedo.

—¿La del setenta?

—Sí, señor.

El sereno llevó al niño a casa de sus padres. Los señores de Quevedo no se habían dado cuenta de nada.

—¿Qué pasa, qué pasa? ¡Ay, pobre Perico, descalzo y preso! ¡Ay, hijo mío, que estás heladito! ¿Qué pasa, qué pasa?

—Nada, señora, cálmese, ya pasó todo. El niño ha roto de una pedrada la luna de un establecimiento.

—¡Ay! ¿De cuál?

—Pues del bar del Crisanto.

La mamá de Perico torció el gesto. Su papá ni se movió...

—¿Del Crisantito? ¡Pues que se aguante! Del Crisantito más vale no hablar. ¡A veces la educación es un estorbo!

El Crisantito, a la mañana siguiente, cuando se enteró de quién había sido el autor del desaguisado, no dijo ni esta boca es mía. El Crisantito tenía el tejado de cristal, como el escaparate.

Don Desiderio Papús Garriga, cabeza visible de familia numerosa, se había pasado la existencia tratándole de buscar una raíz científica al hecho —sucesivo e inexplicable— de llegar todos los meses a fin de mes.

—¡Ah, si no fuera por la inflación! —le decía a su señora, doña Eleuteria Cotobás de Papús—. ¡Si no fuera por la inflación, te juro que nos inflábamos!

—Ya, ya. ¡Mira tú que esto de la inflación! También es lata, ¿eh? —le contestaba doña Eleuteria, que era igual que un asno sólo que menos fuerte.

Don Desiderio, que tenía cierta fama de sabio entre sus amigos, estuvo durante muchos años tratando de corregir las cosas desde arriba o, como él decía, intentando luchar contra el mal en su origen; pero los años, al demostrarle que todo iba siendo posible menos que lo nombrasen ministro de hacienda, le restaron ambiciones, y le fueron forzando, poco a poco, a experimentar sus conocimientos en su propio hogar.

—¡Allá el país! —decía don Desiderio Papús—. ¡Él se lo pierde!

Don Desiderio Papús, decidido ya a levantar sus teorías en su tercero interior derecha, reunió un día memorable, a eso de la una y media, a sus siete vástagos y les dijo:

—Hijos míos: los tiempos están malos para todos. Sois aún muy jóvenes para conocer la mecánica de la inflación; pero yo os aseguro, bajo palabra de honor, que con esto de la inflación va a llegar el día en que nos tengamos que ir a la cama sin cenar. ¿Os dais cuenta, débiles criaturas, lo que supone irse a la cama con la panza vacía? ¿Lo ignoráis? Yo, que tengo el sacrosanto deber de instruiros, os lo voy a decir. Irse a la cama en ayunas significa, muchachos, el insomnio, la acidez de estómago, el nerviosismo, la mala uva, la desazón, el albergar en vuestras mentes los más negros y siniestros pensamientos y, por ende, el fuego eterno.

La voz de don Desiderio Papús había adquirido una lúgubre e imprevisible gravedad.

—¡Hay que ver! ¿Eh? —dijo Desiderito, el mayor, un doncel que no brillaba por sus luces.

—Pues, sí, hijo mío, sí. ¡Hay que ver!

Los siete retoños de don Desiderio —Desiderito, Eleuterita, Santitos, Cirilín, Obdoncín, Tainita y Cosmecillo, el benjamín de la troupe, que se había quedado algo lelo de un paralís que le dio a consecuencia de un mal aire— respiraron fuerte, mitad de susto, mitad de agradecimiento. Don Desiderio, esa es la verdad, nunca había estado tan locuaz con ellos.

—Pues sí, niños, sí —continuó don Desiderio—; conviene estar preparados para los más duros embates; es necesario que nos pertrechemos para la posteridad. El espíritu del ahorro ha de despertarse en vuestros corazones, porque ya es sabido que el ahorro, no sólo es el báculo de nuestra vejez, sino también...

—¡Hay que ver! ¿Eh? —interrumpió Desiderito.

—Gracias, hijo —susurró don Desiderio, para añadir en voz alta—: Ya veo que me entendéis. Yo quiero haceros una proposición. No es un mandato de padre, sino una propuesta de amigo. Dentro de media hora mamá nos llamará a comer. Nos sentaremos en torno a la mesa e ingeriremos los pobres manjares que constituyen nuestro sustento. Y bien: ¿qué habremos salido ganando? Pues unos cientos de calorías que, guardando un poco de reposo, no necesitamos para nada. Estémonos quietos y ahorremos fuerzas y energías, al par que dinero.

Don Desiderio Papús Garriga carraspeó un poco.

—Al par que dinero, sí; porque al que no quiera comer y se vaya a dormir la siesta —esto es algo, naturalmente, absolutamente voluntario— le haré entrega, en el acto, de la suma de pesetas cinco.

Un movimiento de estupor corrió por el grupito de las criaturas. Don Desiderio —buen psicólogo— aceleró el ataque:

—¿Alguien opta por el duro? Los que opten por el duro que levanten el dedo.

Salvo Cosmecillo, el tonto, los demás hijos optaron por el duro. Don Desiderio, con un gesto de noble patricio, repartió seis duros y seis besos entre los hijos ahorradores, y se sentó a la mesa con la esposa y el niño pequeño.

—¡Qué ambiente más despejado! ¿Verdad, Eleuteria?

—Sí, Desi, muy despejado. Pero, ¿qué te propones? Te aseguro que los niños no se comen un duro cada uno.

—No seas tonta, ya verás. Tú lo único que tienes que hacer es evitar que salgan a la calle, ¿me entiendes?

—No; ¿por qué no quieres que salgan a la calle?

Don Desiderio bajó la voz.

—¡Chist! ¡Calla! ¿Sabes por qué?

—No.

—Pues porque, a lo mejor, al salir a la calle, la señora del entresuelo les da de merendar.

—No entiendo.

—No te preocupes y obedece.

* * *

La tarde transcurrió con dulzura. Los niños, con la barriga vacía, ni saltaron, ni jugaron a la pelota, ni hicieron ruido. Los angelitos, acariciando su duro, pensaban en la hora de la cena.

—Mamá, ¿qué hora es?

—Las cinco y cuarto. Pero, ¿qué te pasa, hijo, que no haces más que preguntarme la hora?

Y la hora de la cena, a fuerza de paciencia, llegó, como llega todo en esta vida. Y con la hora de la cena, una breve arenga de don Desiderio Papús Garriga, hacendista.

—Hijos míos, vamos a cenar. Pero los tiempos están difíciles, ya sabéis, muy difíciles incluso. Nunca he pedido vuestra ayuda; pero hoy —a don Desiderio se le escapó un gallo de emoción—, hoy, hijos míos, o me dais un duro cada uno, o aquí no cena ni el apuntador.

Don Desiderio terminó su frase con cierta excitación. Excitación infundada, ¡bien lo sabe Dios!, porque los seis niños, sin una sola excepción, después de ahorrarle la comida, le devolvieron su duro.

¡Si a don Desiderio le hiciesen algún día ministro de hacienda!

Distinguido amigo:

Este cuento es de mi propiedad, porque me lo han regalado, pero no de mi pluma, puesto que yo no lo he escrito. Este artículo es de un amigo mío, don Renato Trevijano Gómez, natural de Cebolla, provincia de Toledo, capador de puercos, tocador de bandurria y escritor costumbrista: todo por afición.

Mi amigo don Renato Trevijano Gómez vino a Madrid, a gastarse mil y pico de duros que le habían tocado a la lotería, se acercó a mi casa y, a renglón seguido de un breve saludo, me soltó:

—Dígame usted, ¿usted es de bata?

—¿Eh?

—Vamos, que si tiene usted bata, batín, le llaman algunos.

—Pues... no. Tengo una pero está ya muy vieja, ya casi no sirve.

—¿Y qué le pasó?

—Pues... no sé. Los años... La polilla... Lo de siempre.

Mi amigo don Renato Trevijano Gómez sonrió con aire protector.

—No debe usted apurarse. Yo tampoco tengo bata. Un servidor no es de bata. Pero usted, sí. Usted es un escritor y los escritores deben tener una bata hermosa, una bata tremenda para sacarse fotografías sentados en una butaca y leyendo un libro. Hay que tener cuidado y coger el libro del derecho porque, a veces se nota, ¿sabe usted?

—Sí... sí...

—Pues eso. Usted sí que es de bata; yo le voy a regalar a usted una bata. Vamos, no le voy a regalar una bata: le voy a regalar a usted un cuento y lo que saque, para usted. ¿Usted cree que se lo publicarán?

—Hombre, yo creo que sí. Tengo un amigo en Cádiz que, a veces, me publica algún cuento en su periódico.

—¡Vaya suerte!

—¿La de mi amigo?

—No, la de usted.

—Sí... No me quejo.

—Pues lo dicho. Yo le doy a usted mi cuento, se lo regalo a usted y con lo que le den se compra una bata de fantasía que va a ser la envidia de muchos. ¿Le gustan a usted las batas de fantasía?

—Sí... No están mal... Pero, vamos, si no es condición, yo preferiría comprarme una bata más bien discreta, una bata con la que me pudiese asomar a la ventana del patio, usted ya me entiende.

—Sí, le entiendo a usted perfectamente, cómprese la bata como quiera, un servidor no pone condiciones. Oiga usted, ¿usted cree que con un cuento podrá comprarse una bata? Si va a andar apurado le regalo dos.

—No, gracias, yo creo que con uno me arreglaré.

—Oiga, ¿a usted le dan mucho por un cuento?

—Psché... Regular...

—¿Le dan lo bastante para comprarse una bata?

—Hombre, ¡yo creo que sí! Para comprar una bata regular, una bata que, sin ser nada del otro mundo, esté bastante bien, yo creo que sí...

—Pues nada, lo dicho. Yo le doy a usted mi cuento, usted lo publica en Cádiz o donde quiera, y después se compra su bata. Así todos contentos, ¿verdad?

—Sí, sí, así todos contentos.

Yo adopté un ademán casi sabiamente distraído.

—¡Bien, bien, Trevijano! Y su cuento, vamos, nuestro cuento, ¿cómo se titula?

Don Renato Trevijano Gómez recitó su título como un sonámbulo.

—Febo se va por la mar abajo camino del Nuevo Continente.

—Bien... Muy bien... ¿No es, quizá, un poco largo?

—No, señor.

—¡Ah, bueno! Siga usted.

—Y además tiene un subtítulo.

—¿Ah, sí?

—Sí, señor.

—¿Y cuál es?

—Paisaje con una corza al fondo.

—Óigame, Trevijano, no es por nada, pero ese título, ¿no es de Ortega?

—¿Ortega?

—Sí, Ortega y Gasset. Don José Ortega y Gasset.

—No me suena. A ese señor se le habrá ocurrido al mismo tiempo que a mí. A veces hay coincidencias, ya se sabe.

—Sí, claro, a veces hay coincidencias.

Un ángel de silencio pasó por la habitación, rebotando de mueble en mueble como una inmensa pelota de goma. Fue cosa de segundos.

—Bien y el cuento, ¿me lo da?

—No, señor, ya se lo daré. El cuento me lo dejé en Cebolla; en Madrid hay muchos rateros. Ahora había venido, tan sólo, a pedirle permiso para regalárselo...

En los ojos de don Renato Trevijano Gómez, brilló una tenue lucecita de humildad.

—Si usted me lo permite, se lo regalo. Un escritor no debe estar sin bata...

Y en su voz tembló un querubín de timidez, un suavísimo gallo casi franciscano.

V.
Se prohíbe el paso a toda persona ajena a la empresa

A mis amigos los robaperas, los brincatapias y los apañatundas que en el mundo han sido; no suelen prosperar demasiado ni tampoco aciertan a dejar memoria de su paso por la vida.

Por la calle de Alcalá abajo, por el camino de los tímidos, azarados muertos, tragando polvo, sudando bajo el rojo clavel de la solapa, baja la humanidad del cigarro puro, el oleaje de los toros, la cobra temblona y anchurosa de las tardes de fiesta, camino de la plaza.

Una estampa de caja de pasas de Málaga, de dátiles de Las Palmas, de dulce de membrillo de Puente-Genil, se vislumbra desde los merenderos del higadillo y el pajarito frito, desde los apacibles, encalmados, honestos merenderos de los alrededores. El orden de la urbanización es ya conocido: en toda la carrera, el merendero se deja ver entre los marmolistas del arte funerario, entre los proveedores de la familia Fernández y de tu marido, Isaac Méndez que, ¡ay!, grabó en un sincero y fugaz momento y en un mármol perdurable, su confesión: no te olvida.

Alguna pareja de guardias, apoyada en sus mosquetones, mira vagamente para las mujeres tremendas de los toros; alguna gitana vieja ofrece la buenaventura; algún mocito coge colillas del suelo; algún randa se lleva, de donde puede, cualquier estilográfica.

Personajes: el contemplador; el bebedor de vino blanco; el hombre a quien se le va la mano; el vendedor de luminosos, violentos abanicos para el sol y la sombra; la aguadora; el gitano del solitario; la mujeruca del tabaco de estraperlo —¡mire usted señorito, que a nosotras nos lo ponen muy caro!—; el revendedor por las buenas, y el revendedor vergonzante que, ¡al pobre!, se le pone su mujer mala todos los domingos. Niños, niñas, hombres, mujeres. La acción, ya sabemos, en Madrid; mes de junio de cualquier año.

El sol, inclemente, derrite las seseras de los personajes; el que más suda es el hombre que toca *El Relicario* y *De Méjico llegó el amor,* al flautín.

Las voces —múltiples, variadísimas— llenan el quieto aire de invitaciones.

—¡Hay agua! ¡Fresca el agua!

—¡Hay tabaco de noventa! ¡Lo tengo rubio y lo tengo negro!

—¡Emblemas para no esperar cola!

—¡Al bonito abanico para el sol y la sombra!

—¡Hay anís!

Los cojos, los mancos, los ciegos, los tullidos y los baldados, nos desean a gritos que jamás nos veamos en las mismas, y el músico de la calle prosigue, heroico, su melopea.

Es media tarde. Ya han pasado los gasógenos grandes de los matadores, los coches de mulillas de los picadores, los flacos caballos con un colorado monosabio encima.

La bandera cae, sin un soplo, a lo largo del mástil y el reloj de la plaza señala las tantas menos diez.

Las puertas de los tendidos vomitan el gentío y los altos miradores van ennegreciendo de multitud.

Es ya la hora.

Trabajan los timbaleros y los alguacilillos, pasean las cuadrillas, sale el primer toro: Bocinero, negro entrepelao.

Pero esto no es lo nuestro. Lo nuestro está aquí alrededor, por los lados, por encima y por debajo de nosotros. Lo nuestro son estos hombres que rugen, aquellas hieráticas mujeres, aquel niño que ríe, aquella asustada muchachita. Lo nuestro está en nosotros mismos —que somos un treintamilavo de lo nuestro—, que tenemos un corazón que late al pulso acelerado del tendido, una garganta ronca que vocea al compás, una mano que se agita al tiempo de todas las manos para pedir al presidente que cambie la suerte, un albo pañuelo de conceder el premio que huye de su bolsillo a la hora de la huida de todos los pañuelos de la Plaza.

El diálogo, dividido, roto en mil bolitas de cristal, rebota de localidad en localidad.

—¡Que se callen!

El matador, pegado a la barrera, tienta la suerte. Hay que ver mejor.

—¡Sentarse!

—¡Que se sienten!

Los de barrera, ni se inmutan. Son gente seria que no puede reír; acarician gravemente su vaso de coñac con seltz y fuman, en silencio, pitillo tras pitillo.

Los de los tendidos corean o rugen según la curiosa ley que rige la teoría de los antagonismos y de los antípodas.

Los habitantes de las alturas, o callan o patean. ¡Esto de tener un suelo de tablas es una bendición!

LA RAZÓN SOCIAL CANDELAS, BALSEIRO Y PACO EL SASTRE

Mucho se ha escrito ya, y en todos los tonos, sobre Luis Candelas, el bandido de Madrid, el hombre que fue al palo sin haber derramado ni una gota de sangre, y sobre sus dos amigos el Balseiro y Paco el Sastre. Desde los *Crímenes españoles* de don José Fernández de la Hoz y Rey, y las *Figuras delincuentes,* de don Constancio Bernaldo de Quirós, hasta la biografía escrita por don Antonio Espina, que dio Espasa Calpe en su colección de *Vidas españolas e hispanoamericanas del siglo XIX,* numerosos han sido los autores que se sintieron atraídos por ese personaje, importante sin duda, ladrón generoso cantado por una milenta de ciegos romanceadores, hombre gentil y apuesto que enamoró a las mujeres y que se llamó con el bello nombre cortesano de don Luis Candelas Cagigal.

En casa de mi vecino César González-Ruano se cuelga un óleo de época que representa a Luis Candelas —antepasado del dueño de la casa, según declaración de éste— en una noble actitud de bandolero. El cuadro, sin duda alguna, no es un dechado de virtudes artísticas, pero en él, Luis Candelas está retratado con mimo, con deleite y quién sabe si hasta con unción. Todos los caminos llevan al noveno cielo del heroísmo, y el bandido, como el conquistador, el santo y el poeta, alcanzan el último círculo, el de su definitiva consagración en los corazones populares, cuando a sus robos, sus hazañas, sus milagros o sus versos, les rodea un halo de incertidumbre, de admiración y de respeto.

Luis Candelas —y aquí, de cierto, no vamos ni a intentar su biografía— fue, en cierto modo, el último eslabón de los que, pecando contra el séptimo mandamiento, degeneraron, con el correr de los tiempos y el galopar de la civilización, de bandidos en gangsters. Sería largo y prolijo desarrollar la teoría del bandidaje y el gangsterismo, pero aquí nos deberá bastar con dejar constancia de que ambos conceptos vienen a ser entre sí lo que el león y la hiena, que si el primero, sin ser menos violento o peligroso, puede inspirar una oda heroica, la segunda, Dios sabrá por qué, sólo el odio y el desprecio y el asco concita sobre sí.

La banda de Luis Candelas, que funcionaba como un cuartel de estado mayor, estaba compuesta por Mariano Balseiro y su novia Josefa

Gómez Caro; por Francisco Villena, alias Paco el Sastre, y su prometida Pepita Castro; por los hermanos Antonio y Ramón Ansó, por Leandro Postigo, por Juan Mérida y por José del Campo. En total siete hombres, y el jefe, ocho, y dos damiselas que, por lo visto, no se paraban en barras.

Los robos de Luis Candelas y su banda fueron el ciento y la madre, y el bandido llegó a tener atemorizada a la villa y corte, aunque no le faltasen nunca admiradores que le siguiesen con pasmo y hasta con cariño y que jurasen y perjurasen, a quienes quisieran escucharles, que Luis Candelas no era, en el fondo, sino un reformador social que robaba a los ricos para socorrer a los pobres: toda una romántica literatura de bellos gestos y altivas fórmulas. No debe olvidarse que, sin desviarse ni una pulgada, tal era la tendencia que marcaban los tiempos: Luis Candelas murió en pleno romanticismo, entre poetas melenudos y revolucionarios y damitas que bebían vinagre, el 6 de noviembre de 1948 hará ciento once años.

Fiel a la época que vivió, Luis Candelas, al subir al patíbulo, pronunció unas sentidas frases, ni más ni menos que si fuera un político en desgracia o un general que hubiese perdido la partida. Con gesto arrogante y ademán sereno y lleno de majestad —de la majestad del torero o del tocaor, que es la que por vía más directa llega al pueblo—, Luis Candelas se dirigió a la multitud y pronunció estas palabras dignas del bronce sobre mármol: como hombre he sido pecador, pero jamás se mancharon mis manos con la sangre de mis semejantes. ¡Adiós, patria mía, sé feliz!

Pocos instantes después, el verdugo le apretaba el cuello y Luis Candelas pasaba a mejor vida. La justicia, una vez más, había creado un héroe popular.

Los otros dos tipos importantes de la banda, el Balseiro y el Sastre, porque los demás no dejaban de ser unos pobres piernas y unos mangantes de quinta fila, ya no eran gente simpática y gallarda como el jefe, sino más bien sujetos vulgares y llenos de mala intención. Sobre todo el Villena, Paco el Sastre, era hombre sanguinario y de malos instintos, que llegó a secuestrar a unos niños, los hijos de los señores de Gaviria, sacándolos del colegio de San Antón con malas artes de engaño. Las criaturas fueron a aparecer a los pocos días en La Pedriza, en unas cuevas que hay por la parte de Manzanares el Real, y la triste hazaña le restó a su autor la poca popularidad que tenía.

Tanto el Balseiro como el Villena, después de una fuga y mil vicisitudes, fueron condenados a muerte y agarrotados en Madrid, en las afueras de la Puerta de Toledo, que era el sitio que entonces se estilaba para las ejecuciones.

Con la muerte de los dos quedó definitivamente liquidada la razón social, y el pueblo, que rara vez se equivoca en esto de guardar los recuerdos, pronto se olvidó de los dos desdichados, que con sus tropelías estuvieron a punto de empañar la dolorosa gloria de Luis Candelas, el noble y generoso bandido de Madrid.

VI.
Cuentos para relojeros

A mi paisano don Juan Antonio Fernández Lombardero, natural de la aldea de Vilarpescozo, feligresía de Santa Eulalia de Piquín, entonces en el concejo de Meira, capital Santa María, y hoy en el de Ribera de Piquín, capital Pousadoiro, partido judicial de Fonsagrada, diócesis de Lugo, que en el 1779 hizo un reloj para mi paisano don Antonio Ibáñez, marqués de Sargadelos; ahora está en mi Fundación, en Iria Flavia, y supongo que en buen funcionamiento.

LA HORA EXACTA DE ISMAEL LAUREL, PERITO EN VEREDAS DE SECANO

Ismael Laurel, también conocido por Sisebuto Sardina y, algunas veces, por Walter Puig, era un mallorquín cincuentón y soñador; cojitranco y teósofo; torero en sus años verdes y felices, y comerciante peatón a falta de mejores usos, que estuvo casado en primeras nupcias con una negra sudanesa que se llamaba Liberté Lamartine, que olía a pescadilla fresca y que se fue a morir de moquillo en Vitoria el año de la guerra civil.

—Las gentes incultas —aseguraba Ismael Laurel— dicen que la hora mala, la hora que eligen las brujas para hacer la pascua al respetable, son las doce de la noche; pero yo puedo afirmar por experiencia que la hora mala, pero mala de verdad, son las cinco menos cuarto de la tarde, las cinco menos cuarto por el sol. A las cinco menos cuarto nací; a las cinco menos cuarto me rompió mi madre dos costillas un día que el vino le dio ruin y sacudidor; a las cinco menos cuarto me desgració el Toronjito; a las cinco menos cuarto me cascó la Liberté, que en paz descanse, y a las cinco menos cuarto matrimonié con mi segunda señora, la Claudia, esa que ven ustedes ahí, que la pobre es más bestia que una mula de varas. En fin, ¡para qué seguir! Yo ahora, cada vez que van a dar las cinco menos cuarto, me tapo. ¡Gato escaldado...!

—Ya, ya —le respondían los mirones—, ¡cualquiera no se tapa!

A Ismael Laurel, de matador de reses bravas Cabezón de la Isla II, lo dejó patoso y derrengado un toro melocotón y capirote, badanudo, zancajoso y astisucio, llamado por mal nombre Toronjito, una tarde, sonando las cinco menos cuarto en el ayuntamiento, en la plaza de la Constitución de Valdevarnés, en la diócesis de Segovia, a la sombra del monte Carrascosa.

Era en el mes de agosto; hacía un calor sofocante, y el Ismael, atento a espantar las moscas de la sangre, no se dio cuenta de que le limpiaron la cartera donde guardaba sus dieciocho últimos duros que, al volar, le dejaron, amén de recién cojo que ya estaba, más pobre y deslucido que el río Ragamón por Paradiñas.

El Ismael, cuando sanó, anduvo a la busca por los caminos de Castilla, donde por más que se busca casi nunca se encuentra nada, hasta que la guardia civil, que no es partidaria de los paseantes, le dijo que o se paraba o lo paraba ella. El Ismael, que no era tonto ni en la desgracia, dijo que sí, que bueno, que se paraba, y se instaló en Cebreros, en el valle del Tiétar, donde vivió unos años de randar uvas, varear colchones y cargar pellejos de vino.

En Cebreros, durante una función, fue donde conoció a la Liberté, que estaba arrimada a un zángano que vendía gambas, con la que se casó por la iglesia, porque el Ismael, aunque algo tarambana, era un caballero de principios.

Con unos ahorros que tenía la Liberté se compró media docena de relojes y se fue de pueblo en pueblo haciendo el artículo, y no, bien mirado, sin suerte.

—¡Al bonito reloj americano marca Patent! ¡Construido con los planos de Ching-Chao-Cheng, famoso relojero chino del siglo IV antes de Nuestro Señor Jesucristo! ¡Con segundero y números mágicos visibles en la oscuridad! ¡Con todos los adelantos europeos y americanos! ¡Con cuerda para ocho días y resortes del acero mejor templado! ¡Al bonito reloj de pulsera! ¡Al bonito reloj de bolsillo! ¡Al bonito reloj despertador! ¡Hagan corro, señoras y señores, y presten atención! ¡Un reloj sin hora gafe, distinguido público! ¡Un reloj sin hora fatídica! ¡Un reloj con un dispositivo que hace que de las cinco menos veinte se salte a las cinco menos diez, sin pasar por las cinco menos cuarto! ¡Algo asombroso que ofrezco por muy poco dinero a mis clientes y favorecedores! ¡Por muy poco dinero, sí, señores! ¡Por poquísimo dinero! ¡Por una verdadera miseria! ¡Es un reloj que vale veinte duros, respetable público, y con el invento para que no marque las cinco menos cuarto vale lo menos treinta! ¡Pero yo no pido por él treinta duros, señoras y señores! ¡Es mi ruina, pero yo quiero que España sea un país culto y que cada español tenga su reloj para que no ande preguntando la hora a los demás! ¡Yo no pido treinta duros ni tampoco veintinueve! ¡Es la catástrofe, pero yo lo hago todo por España! ¡Viva España! ¡Tampoco quiero veintiocho duros, ni veintisiete, ni veintiséis, ni veinticinco! ¡Si el fabricante se entera me denuncia por loco! ¡Pero no importa! ¡Con veinticuatro duros aún sobra dinero! ¡Y con veintitrés! ¡Y con veintidós! ¡Y con veintiuno! ¡Y con cien pesetas! ¡Y con setenta y cinco! ¡Y con cincuenta! ¡Si ustedes lo cuentan nadie se lo cree! ¡De veinticinco pesetas, señoras y señores, aún les tendría que dar las vueltas! ¡Tampoco quiero por ellos tres duros! ¡Ni cuarenta reales, señores! ¡Ni treinta y seis! ¡Ni treinta y dos! ¡Ni veintiocho! ¡Ni veinticuatro siquiera! ¡Que por ellos quiero un durito, señores, un modesto durito! ¡Y nada más! ¡Vale más dinero vendido como chatarra!

El Ismael Laurel, con su pregón, vendía a veces algún reloj a los zagales enamorados que no habían entrado en quintas.

El tonto de Piedrahíta, el tío Demetrio, alias Chiboli, coleccionista de petacas y sacristán honorario, le compraba también uno todos los años.

—¿Y usted vive, señor Laurel?

—¡Psché! Por ahora no me he muerto.

En la plaza de Villatoro, al pie de la carretera, Ismael Laurel, jinete en un verraco ibérico, pregona, sobre cuatro mil años de historia, sus relojes de a duro.

El sol, ese viejo y tolerante compadre de todos los peritos en duras y polvorientas veredas de secano, le escucha, desde su alto nido, casi sonriente, casi condescendiente, casi clemente.

LA LATA DE GALLETAS DEL CHIRLERÍN MARCIAL, RANDA DE PARLOS

Marcial Poyatos Expósito, alias Chocolate, natural de Caracuel, provincia de Ciudad Real, de diecisiete años de edad, hijo de Marcial y de Filomena, rubito, canijo y chuchumeco, saltó las tapias del cementerio de La Haba, entre Magacela y Don Benito, igual que un gris chiricló al que espanta un petardo.

Al llegar al olivar de Matías, los civiles le dieron el alto.

—¡Eh, muchacho! ¿Adónde vas?

El Chocolate, que era mozo avispado, les respondió:

—Pues ya ven ustedes, señores guardias; a Don Benito a buscar una medicina para la vieja, que está con un paralís.

En el olivar de Matías, al fondo de una barranca que hay al pie del arroyo del Campo, el Chocolate guardaba su nido de parlos de tratante, gordos, relucientes y latidores como los pavos por la navidad.

El Chocolate empezó la busca de parlos como azorero de su padre, Marcial Poyatos Minglanilla, alias Greno, a quien ensartó el rayo una noche que, huyendo de los churrés, se fueron a guarecer en unas cuevas que hay entre Fuente Palmera y Cañada del Rosal, casi entrando en Ochavillo del Río. Desde entonces el Chocolate, a pesar de sus pocos años, se había instalado por su cuenta pensando, quizá, que padre no hay más que uno.

—Pues anda allá y no te demores, que aún tienes una tirada.

El Chocolate, al llegar a su carcavón, se echó al suelo para dar tiempo al tiempo y distancia a los tricornios. Después, cuando calculó que los civiles andaban ya lejos y entretenidos, levantó la piedra que tapaba el mausín, se lió a dar cuerda a los parlos, porque es de ley que si no marchan se oxidan y se echan a perder, los envolvió otra vez, uno por uno, los metió de nuevo en su lata de galletas, se soltó los cordones de los tirajays para descansar mejor, y se puso a dormir como las liebres, con un cliso abierto y el otro entornado, por si las moscas.

La colección de parlos del Chocolate no era muy grande, aunque sí variada. La colección, bien mirado, tampoco podía crecer mucho porque el Chocolate, cuando venía, como una nube de bendición, el tiempo de las ferias, liquidaba las existencias y dejaba su lata más vacía que andorga de cómico en cuaresma.

—Por mi gusto —solía decirse el Chocolate— yo no sacaba un parlo de la lata aunque me lo pidieran de rodillas. Si pudiera vivir de otra cosa, a estas horas tendría ya más de cien parlos achantados. Pero el hambre no se mata con razones.

El Chocolate era un filósofo resignado, conspicuo y previsor, que no vaciaba la lata más que cuando el hambre apretaba, como un corsé, los más ocultos recovecos del alma.

El Chocolate, de haber nacido rico y como Dios manda, hubiera llamado relojes a los parlos y hubiera sido coleccionista en vez de chirlerín. Pero el inmenso reloj, el enorme lorampio que gobierna los mundos, cuenta los siglos y dirige las almas, las voluntades y los corazones, estaba en la hora mala cuando el Chocolate, como una ardilla aterida de frío, empezó a respirar en el chozo de Caracuel. En fin...

El Chocolate, abrazado a su arca de los tesoros, a su lata de galletas, estaba soñando con inmensas y bien dibujadas constelaciones de parlos exactos y rutilantes, cuando sintió que le sacudían.

—¡Arriba, galán!

—¿Eh?

—¡Que te levantes, que no vas a llegar a tiempo con la medicina!

Sobre el olivar se columpiaba una luna impasible y hermosa. Sobre la luna, como dos vencejos, se balanceaban los mostachos de los dos civiles.

—¿Qué llevas en esa lata?

El Chocolate, temblando como una vara verde, sintió que un nudo se le posaba en la garganta.

—Pues..., ya ve usted..., nada...

—A ver, abre la lata.

El Chocolate se sintió hombre por primera vez en su vida.

—No, señor. ¡Ábrala usted!

La lechuza silbó distinto —quizá más ronca— que las otras noches.

En la cárcel de Don Benito, el Chocolate, como un capitán corsario, pensaba en su riqueza perdida.

—Esto es lo del camarón que me decía mi padre. A mí no me llevó la corriente; a mí me llevaron los civiles, que es peor. ¡Si por lo menos me hubieran dejado la lata!

Justo Corral Rento, alias Charandel, hombre sesentón, cuatrero y leridano, le dijo un día en el patio:

—¿Y tú qué guardabas en la lata?

Y el Chocolate, que ya se iba afinando, le respondió:

—Parlos, mi señor don Justo; relojes de oro, y de plata, y de hierro. Ya sé que son más fáciles de guardar que los caballos y las mulas; pero..., ¡qué quiere usted! Cuando las cosas vienen mal dadas...

Charandel no respondió. Se atusó su cumplido bigote de alabardero y estuvo un rato en silencio.

Después puso la mano en el hombro del Chocolate y le miró a los ojos. Luego habló, con su voz grave y solemne de sochantre:

—Oye.

—¿Qué?

—Pues que..., no es por nada, pero te voy a regalar un reloj... Un parlo que marcha como el mismo sol...

Al Chocolate tuvieron que darle aire. Cuando volvió en sí tenía los ojos extraviados y pronunciaba, entre dientes, unas extrañas palabras, unas palabras que no entendía don Ramón, el oficial de prisiones.

—¿Qué dice?

—No le entiendo mucho, don Ramón. Sólo le cojo algunas palabras sueltas... balbaló, ocana, parlo...

Charandel atendía, solícito, al muchacho.

—¿Vas mejor?

El Chocolate sonreía con un aire de rara bienaventuranza.

—Teblesqueró...

—¿Eh?

—Dios... Dios... Es el parlo de Dios... Un parlo de oro...

Al defensor no le costó gran trabajo que el juez soltara al Chocolate. Eso de las facultades mentales surtió efecto. Y, además, era verdad.

Ya en la calle, el Chocolate se buscó una lata de galletas para guardar el parlo que le regaló Charandel, Justo Corral Rento, el ladrón de ganado.

—¿Y después?

Después, al cabo de muchos, muchísimos años, el Chocolate murió, abrazado a su lata, escuchando el acompasado sonar de su parlo, del parlo que era tan suyo como su corazón.

Achantar, guardar, esconder. El dic. registra *achantarse,* que creemos debiera hacer valer por *acoquinarse, amilanarse; Balbaló,* rico; *Cliso,* ojo; *Chiricló,* pájaro; *Churré,* guardia civil; *Lorampio,* reloj; *Mausín,* tesoro; *Ocana,* ahora; *Parlo,* reloj; *Teblesqueró,* Dios; *Tirajay,* zapato.

Todas ellas son voces del caló gitano, excepto *parlo,* que ha sido extraída de la jerga delincuente.

Estebita era gramático, un gramático que inventaba palabras a las que la historia —en su devenir, como decía Cloti, su madre política, que era un loro mastuerzo, un loro verde y colorado— llenaría de sentido a su debido tiempo. A su debido tiempo, es una frase, una media frase, que pierde su sentido a fuerza de repetirla: a su debido tiempo, a su debido tiempo, a su debido tiempo... Pero esto es igual. Casi todo, bien mirado, es igual casi siempre. A su debido tiempo las cosas... Bueno.

Estebita, cuando inventó la palabra colondrio —piececilla en forma de áncora que se ponen los sordos en el corazón— se quiso premiar y se compró un despertador. El despertador de Estebita terminaba en una campana rudimentaria como las capillas románicas.

—Con mi despertador —decía Estebita—, con mi despertador...

Y entonces Estebita, para sacarle el jugo a su despertador, se buscó un quehacer, un menester fuerte, muy fuerte, arrebatador.

—¡Je, je! A su debido tiempo sonará. Y yo me lavaré como un gato, según la vieja tradición de mi familia, y saldré a la calle, tomaré un tranvía, y me presentaré, sonriente, en mi quehacer.

—Buenas, aquí estoy. ¿Le extraña?

El jefe le colmará de satisfacciones y de enhorabuenas.

—Estebita es un funcionario ejemplar —se dirán unos a otros los jefes de negociado, que están por debajo del jefe—, un funcionario modelo, digno de salir en letra de imprenta.

Y Estebita, por dentro, se dirá: colondrio, colondrio, colondrio, que es la llave del éxito: un señor con el ceño fruncido y un dedo apuntando al título. Colondrio, colondrio, colondrio. Bien.

Estebita se acostó. Después se puso a contar ovejas: diecisiete mil novecientas treinta y siete, diecisiete mil novecientas treinta y ocho, diecisiete mil novecientas treinta y nueve. Y se durmió.

Una tormenta más bien floja le acompañó en su primer sueño.

—¡Qué ridiculez de rayos! ¡Qué rayos más canijos!

Cloti, la hija de Cloti, le dio en un hombro.

—¿Qué te pasa, Estebita? Despierta, Estebita. ¿Estás impaciente, Estebita?

—Colondrio.

—¿Eh?

—Colondrio.

—¡Ah!

Después, Estebita soñó con praderas verdes, con yeguas madres, con adjetivos esdrújulos, con niños huérfanos, con bosques madereros.

Y a su debido tiempo surgió el despertador. El despertador de Estebita era un despertador niquelado, un despertador rutilante, un despertador lleno de clavijas, de misteriosas clavijas en la espalda.

—¡Qué bien suena mi despertador! ¡Qué gozo de despertador! ¡Qué ilusión!

Y el despertador, mientras Estebita dormía, continuaba latiendo, resoplando, viviendo.

Cloti, hija de Cloti, no podía pegar los ojos. Cloti, hija de Cloti, pensaba así:

Estebita, yo siempre te amé holgazán; yo te quiero como eres, Estebita; una calamidad, Estebita; un hombre sin despertador, sin quehacer, Estebita; un hombre que se hace el muerto en el sueño, como las señoras gordas de las playas del sur, Estebita; como las señoras gordas de las playas del norte.

Pero Estebita, que se había dormido a su debido tiempo, dormía con la cabeza estallante de tic-tacs.

A las tres y pico Estebita se despertó.

—¿No duermes, Cloti?

—No puedo, Estebita, hijo.

—¡Allá tú!

Y Estebita se volvió a dormir. El despertador sonaría cuatro horas más tarde, a las siete, una hora antes de que Estebita, con su mejor sonrisa, se presentase al jefe para decirle:

—¿Eh? ¿Qué tal? ¿Soy cumplidor o no soy cumplidor?

Cuando el demonio, en forma de cabra montés, le quiso quitar el despertador, Estebita se impacientó.

—¿Eh? ¿Adónde va? ¡Deje usted ahí ese despertador ahora mismo! ¡Ese despertador es mío! ¡Muy mío!

Pero el demonio, ante la justa indignación de Estebita, no insistió:

—Bueno, hombre, bueno; ahí le dejo a usted su despertador. ¡Caray, qué tío! Yo creo que no es para ponerse así. ¡Vamos, digo yo!

Estebita, a las cinco, estaba muertecito de risa. Estebita, a las cinco soñó que Miss Europa se había quedado sorda y no podía oír su despertador.

—¿Por qué no me recomienda usted a la fábrica de colondrios, Estebita?

Pero Estebita, congestionado con la risa, no podía ni hacerle caso.

A las cinco y media, Estebita pensó:

—Mona sí es. ¡Pero, vamos!

Cloti, hija de Cloti, no contaba ovejas. Cloti, hija de Cloti, contaba pollitos de incubadora, pollitos recién nacidos. Cloti, hija de Cloti, aunque no vivía en situación desahogada, era una muchacha llena de complejos.

—Ciento sesenta y tres mil ochocientos ochenta y seis...

Después, Estebita durmió como una flor, lleno de sobresaltos. Los peores sueños de las flores tienen firmes raíces y forma de rumiante.

—Enciende un poco la luz, Cloti; por favor, ¿me das agua?

Pero algo más tarde, cuando ahora que es el verano los pájaros desayunan en las acacias, Estebita se volvió a dormir.

—¡Qué despertador! ¡Qué gozo de despertador! ¡Qué maravilloso despertador! ¡Parece un despertador del otro mundo! ¡Parece un despertador para uso de ángeles y arcángeles, de querubines y potestades! Dentro de un rato, a su debido tiempo, romperá a tocar el timbre —trin, trin, tirrín...— para anunciarme que son las siete, que me debo levantar. ¡Qué gran invento este del despertador! Seguramente fue inventado por Edison. La humanidad tiene que estar muy agradecida a Edison. Trin, trin, tirrín...

Estebita oía, en su sueño más hondo, un timbre que sonaba como el violín de los valses.

—Miss Europa no puede oír el despertador. No se han inventado los despertadores para los oídos de Miss Europa, que es sorda como una tapia. ¡Je, je! ¡Qué barbaridad, Edison!

Cloti, hija de Cloti, no podía despertar a Estebita. Estebita estaba sumergido, como una murena, en los más misteriosos y acogedores abismos.

—Despierta, Estebita, que ya es la hora.

Y Estebita, sonriendo en los flecos del alma, lo escuchaba todo, todo; pero no podía despertarse.

—Las siete, Estebita; que son las siete.

No, no, no. Era que no. La palabra colondrio había que modificarla. Su significado era aún más misterioso, mucho más misterioso.

Trin, trin, tirrín... Inútil. Esto está visto.

—Estebita.

Ángeles y arcángeles, querubines, serafines y potestades, la lista de los reyes godos, las tres virtudes teologales, los afluentes del Ebro que nace en Fontibre, Santander. Inútil.

—Estebita, hijo...

* * *

Estebita no quiso oír hablar más de su quehacer.

—Bueno, déjame en paz; si yo tengo quehacer, ¿qué?

Pero Estebita, que era un gramático que inventaba palabras, tenía un despertador, un despertador que no le despertaba, pero que le hacía soñar con los peores sueños de las flores; esos sueños que tienen firmes raíces, poderosas y voluntariosas raíces...

EL SENTIDO DE LA RESPONSABILIDAD O UN RELOJ DESPERTADOR CON LA CAMPANA DE COLOR MARRÓN

Se llamaba Braulio y era made in Germany, pero como no había tenido suerte en la vida, se había quedado, incluso con una elegante resignación, esa es la verdad, en despertador de fonda de pueblo. Después de todo —pensaba Braulio—, los hay que están peor. Braulio se refería, sin duda, a los despertadores de las monjas de clausura, de los enfermos crónicos y de los condenados a muerte.

Braulio tenía forma de sopera y, todo hay que decirlo, estaba crecido y bastante bien proporcionado. Sus tripas —eso que la gente llama, tan imprecisamente, la máquina— se conservaban bastante bien para la edad que tenía; su esfera, que en tiempos fue de brillo, aún aparentaba cierto empaque a pesar de que el 6 y el 7 estaban casi borrados, y su campana, ¡ay, su campana!, pintada de color marrón, como las sillas del juzgado, retumbaba, cada mañana, con unos alegres pujos de esperanza, con unos recios sones casi militares.

Braulio, cuando era joven y se lucía, lleno de presunción, en el escaparate de la tienda de la capital, allá por los años veintitantos, estuvo algo enamoriscadillo de una relojita de pulsera, muy mona y arregladita, con la que llegó a estar casi comprometido.

—Yo no sé si debo aspirar a tu mano —le decía Braulio, casi con lágrimas en los ojos—, tú eres de mejor familia que yo, eres mucho más joven, te sobran los rubíes por todas partes. Yo no sé si debo aspirar a tu mano...

Pero la relojita, que se llamaba Inés (tampoco, de pequeña que era, hubiera podido llevar un nombre más grande), le respondía, poniendo un gesto mimoso, un ademán coqueto:

—No seas tonto, Braulio, ¿por qué vas a ser poco para mí? Lo que yo quiero, lo único que yo quiero, es un reloj honrado, que me quiera siempre y no me abandone nunca.

A Braulio, al oír hablar de separaciones, le daba un vuelco el corazón en el pecho.

—¡Pero, Inés, hija mía, querubín! ¿Tú no sabes que eso de la separación es algo que no depende de nosotros? ¡Qué más quisiera yo, chatita mía, que no apartarme de tu lado por jamás de los jamases!

Inés siempre tenía la vaga esperanza de que la separación no habría de producirse nunca.

—Bueno, ya veremos; por ahora, ¡no estamos separados!

Una vez —era un día de invierno frío y neblinoso, acatarrado y tosedor— un hombre estuvo mirando, durante un largo rato, para el escaparate.

—¿A quién mira? —preguntó Inés.

Braulio, rojo de celos, tuvo que templar la voz para responder.

—A ti, hija, a ti. ¿A quién va a mirar?

El señor, después de pensarlo mucho, entró en la tienda.

—Buenos días. Mire usted, yo quisiera regalarle algo a mi mujer; dentro de unos días va a ser su santo.

El tendero, con un gesto muy de entendido, miró para los ojos al señor.

—Bien. ¿Le parecería a usted bien un relojito de pulsera?

(Sabido es, aunque nunca viene mal repetirlo, que los relojeros no distinguen, sino después de haber estudiado mucho, el sexo de los relojes.)

—Pues, hombre, ¡si no es muy caro!

El tendero se acercó al escaparate y limpió a Inés en la bocamanga. Después la mostró, cogiéndola con dos dedos, como si fuera un lagarto.

—Vea usted, una verdadera ganga.

El tendero y el señor regatearon un poco y, al final, metieron a Inés en una cajita de cartón, entre algodones y sujeta con una goma de estirar.

El pobre Braulio, hecho un mar de lágrimas, veía, sin resignación ninguna, llegar el temido instante de la separación.

—¡Bueno, qué le vamos a hacer! ¡Es la ley de vida, fatal ley de vida! Después de todo, tampoco íbamos a estar, ahí en el escaparate, por los siglos de los siglos.

Las palabras que se decía Braulio eran mentira, una mentira atroz. Braulio estaba desconsolado, pero se predicaba en voz alta para darse ánimos.

El señor que quería regalarle algo a su mujer, por el día de su santo, estando ya con Inés en el bolsillo y casi en la puerta de la tienda, se volvió.

—Oiga, usted, ¿y un despertador? ¿No tendría usted por ahí un despertador que fuera bueno y que no resultase muy caro?

Braulio creyó estar soñando y apretó los ojos con fuerza, para no caer desmayado al suelo. Lo que hablaron el señor y el tendero no pudo recordarlo, pero al cabo de un rato estaba envuelto y en otro de los bolsillos del señor.

—No, en ese bolsillo, no; podría aplastarme al relojito. Póngamelo usted en este otro.

En el pueblo, en casa del señor que los había comprado, Braulio vivía sobre la mesa de noche del dueño, e Inés, que era más presentable, iba a misa con la señora, y de visitas por las tardes, y al cine, alguna vez que otra, por las noches.

Braulio e Inés, aunque se veían poco, aunque pasaban días enteros sin poder ni saludarse, eran felices sabiéndose bajo un techo común.

Pero una tarde, ¡ay, aquella tarde! Una tarde aciaga, la dueña de Inés, que se llamaba doña Raúla y era viciosa, lenguaraz y entrometida, se puso a jugar a la brisca y perdió hasta la respiración.

—Mire usted, amiga María Saturia —le decía doña Raúla a su acreedora—, pagarle en pesetas, no puedo, porque entre todas ustedes me han desplumado, pero si usted quiere cobrarse con mi relojito... Anda bastante bien.

Doña María Saturia dijo que sí y doña Raúla se quitó su relojito y se lo dio. Después, a doña Raúla, lo único que se le ocurrió fue decir:

—¡Por Dios, amiga María Saturia, que no se entere mi marido!

—Descuide, descuide...

Braulio, que era un despertador con un gran sentido de la responsabilidad, cuando se dio cuenta de que algo raro pasaba, empezó a protestar para ver si el tonto del dueño se daba cuenta. Pero el tonto del dueño, que casi nunca se enteraba de nada, se limitó a comentar:

—¿Qué le pasará a ese endiablado despertador, que está todo el día sonando sin venir a cuento? Como siga así, no va a haber más remedio que llevarlo al relojero.

Braulio, en vista de que el dueño no le entendía, volvió otra vez a sonar a sus horas. ¡Qué remedio!

Después, con eso de la tristeza, se le fue poniendo la campana, poco a poco, de color marrón.

AQUEL RELOJ DE TORRE

Aquel reloj, aquel viejo y gris reloj de torre, el único superviviente de la guerra de Cuba que quedaba en el pueblo, no se limitaba a marcar las horas, como todos los relojes del mundo, y a cantarlas, como los serenos, sino que para cada una de ellas —para la hora amarga y para la jolgoriosa, para la hora lluviosa y para la radiante, para la hora del día y para la de la noche— tenía unos acentos especiales, patentados, únicos.

Su voz era de tiple —tilín, tilín— como la voz de una esquila de convento monjil, cuando anunciaba los nacimientos felices, la llegada al mundo de los niños coloraditos y llorones con ganas de vivir. Su timbre era de barítono —talán, talán— como el del mozo que cantaba en la siega, cuando avisaba a vísperas de fiesta, a alegres vísperas de encierro al alba y capea cuando el sol, como un farol inmenso, calentaba los sesos y las anchas losas de la plaza, después del almuerzo. Su acento era de bajo —tolón, tolón— como el del cencerro del viejo buey, cuando doblaba a muerto.

En aquel pueblo no hubiera hecho falta campana en la iglesia ni pregonero del ayuntamiento por las esquinas. En aquel pueblo hablaba por todos el reloj de la torre, aquel reloj que llevaba ya más años que nadie subido, igual que una eterna cigüeña, en la torre cuadrada de la iglesia, una torre que los turistas retrataban —nadie, en el pueblo, sabía por qué—, y a cuya sombra los viejos holgaban y fumaban, los mozos jugaban al chito y a la pelota, las viejas murmuraban y hacían calceta, las mozas hilaban sus dorados proyectos y las parejas de novios —el mirar en el mirar— escuchaban el lento paso del tiempo que había de traerles, igual que un higo maduro, la felicidad a su hora debida.

El reloj de la torre, que era un sentimental, dejaba su canto mudo y en blanco —que también es una manera de cantar— cuando un niño moría, en el saldo de niños del otoño, y cuando a un quinto le tocaba servir al rey en África, en el sorteo de quintos de la primavera.

Al reloj de torre, como a los amadores románticos, le dolían las ausencias sin posible retorno, las huidas sin vuelta, las deserciones sin arrepentimiento. Ya cuando estaba en la fábrica, recién nacido aún, sus compañeros le habían notado cierta tendencia a la nostalgia y al constante, al desbordado sentimiento.

—¡Qué reloj más raro! ¿Verdad? —solían decir los relojes aún por destinar, los relojes formados en largas filas a las que no se les veía el fin.

—No, no es raro —argumentaban otros relojes más viejos, de más experiencia—, lo que le pasa es que es un reloj poeta, un reloj con alma de artista; si hubiera nacido hombre, seguramente tocaría el piano y haría versos tristes y bien rimados como los del señor Bécquer.

—¡Ah, ya!

El día que instalaron al reloj en su torre, todo fue alegría en aquel pueblo. La flauta de caña y el tamboril de tripa estuvieron, dale que dale, tocando todo el santo día; la gente bailó y bailó hasta cansarse y, a la caída de la tarde, cuando el reloj, con toda su cuerda ya, rompió a andar, se dispararon cohetes por orden del señor alcalde, unos cohetes altos y sonoros como los nombres de la historia.

Lo malo fue que, cuando todo el mundo esperaba escuchar la voz del nuevo reloj, cuando ya iba a dar la primera hora que el reloj tenía la obligación de anunciar, el reloj se calló como un muerto, quedó mudo y silencioso igual que una piedra.

—¡Vaya! —rugió el señor alcalde—. ¡Nos han engañado como a chinos! ¡Este reloj es una porquería!

Por el pueblo corrió un chorro de decepción y los de los pueblos de al lado, que habían acudido al festejo, se reían por lo bajo, como diciendo: sí, sí, mucho presumir de reloj de torre y, ¡ya se ve!, ni da las horas.

Estaba la gente en sus tristezas y en sus discusiones cuando, al cabo de una hora, el reloj cantó con una voz que dejó a todos entusiasmados.

—¡Milagro, milagro! —decían los hombres y las mujeres—. ¡El reloj se arregló solo! ¡El reloj se curó sin que nadie lo tocase!

Los nuevos paisanos del reloj se pusieron muy nerviosos durante la hora siguiente, y durante la otra y la otra, porque no estaban muy seguros de que el reloj, efectivamente, estuviera curado, pero, cuando vieron que daba ya todas las horas sin fallar ninguna, respiraron tranquilos y dieron gracias a Dios por haberles permitido comprar, por no mucho dinero, un reloj tan bueno.

Lo que al reloj le había pasado en su primera hora es cosa que no se supo jamás, porque en el pueblo no había nadie que hubiese estudiado, con atención, las costumbres de los relojes. Sólo en una casucha de los bordes del pueblo, allá por el río o por el matadero, que son siempre los barrios más tristes y más pobres, alguien sospechaba lo que le había suce-

dido al reloj. Un niño que se muere —allá por el saldo de niños de otoño— es siempre algo muy grave, algo que da a las gentes raras lucide-
ces repentinas.

El reloj de la torre, desde aquel día, falló cuando tenía que fallar y
cambiaba su voz cuando las circunstancias le indicaban que debía cam-
biarla. El señor alcalde y, con él, todos los que en el pueblo representa-
ban algo, se fueron acostumbrando, poco a poco, a los silencios y a las
mutaciones del reloj y, al final, lo atribuían a que estaba mal de los nervios y era algo, ¿cómo diríamos?, algo maniático.

—Sí, es un reloj muy bueno —solían explicar al notario recién destinado al pueblo o al turista que se paraba tres cuartos de hora para merendar—, un reloj del que no hay queja, esa es la verdad, pero a veces tiene, ¿cómo le diríamos a usted?, algunas manías raras. Claro que, lo que
nosotros decimos, ¡quién no tiene sus manías! ¿Verdad, usted?

—Claro, claro, ¡todos tenemos nuestras manías! Pero, ¡si no es más
que eso!

—No, la verdad es que no es más que eso. Por lo demás estamos muy
contentos con él. Y esto de que varíe un poco y dé las horas en distinto
tono, también tiene su gracia, ¿verdad, usted? Lo que no sabemos es por
qué lo hace. De la humedad no es, podemos asegurárselo, eso ya lo hemos
estudiado. A lo mejor es que es así, que le da por ahí...

Baraja de invenciones

A Miss Lissa Sanderlasse, ¡animalito!, una criatura que está como un tren y que me enseña las tetas, desde su alto tejado, todas las mañanas a las ocho. ¡No se imagina usted, doña Braulia, lo que me reconforta la tendencia!

Primera parte
Los remordimientos

Al frutero Pardiñas que, cuando los tiempos vienen mal dados, me fía naranjas. Y al confitero Ramonín que, en una navidad amarga, me regaló una rueda de mazapán para dos de la que comimos cinco. La pena es que todos nos tengamos que morir algún día.

La naranja es una fruta de invierno. Un sol color naranja se fue rodando, más allá de los montes, por los remotos caminos del mundo, por los ignorados y lejanos caminos del mundo.

En la sombra, al pie de una colina de pedernal, de una colina que marca a chispas veloces la andadura de la caballería, dos docenas de casas se aprietan contra el campanario. Las casas son canijas, negruzcas, lisiadas; parecen casas enfermas con el alma de roña, que va convirtiendo las carnes en polvo de estiércol. El campanario —un día esbelto y altanero—, hoy está desmochado y ruinoso, desnudo y pobre como un héroe en desgracia. El viento, a veces, se distrae en llevarse una piedra del campanario, una piedra que sale volando, como una maldición, contra cualquier tejado y rompe cien tejas, que después ya no se repondrán jamás. Sobre el campanario, el vacío nido de la cigüeña espera los primeros soles rojos de la primavera, los soles que marcarán el retorno de las aves lejanas, de las extrañas aves que conocen el calendario de memoria, como un niño aplicado.

El vacío nido de la cigüeña ha echado misteriosas raíces, firmes raíces en la piedra. Al vacío nido de la cigüeña —doce docenas de secos palitos puestos al desgaire— no hay viento de la sierra que lo derribe, no hay rayo de la nube que lo eche al suelo. Sobre el vacío nido de la cigüeña quizá vuele, como un alto alcotán, la primera sombra de Dios.

Al caserío le van naciendo, con la noche, tenues rendijas de luz en las ventanas que no ajustan del todo, en las ventanas que siempre dejan un resquicio abierto, quién sabe si a la ilusión, al miedo o a la esperanza: como un corazón anhelante, como un corazón que no encuentra consuelo en la soledad.

Entornando el mirar, las rendijas de luz semejan flacos fantasmas atados a las sombras, hojas de las peores facas, las facas que tienen luz propia como los ojos de los gatos, como los ojos de los caballos, como los ojos del lobo, que muestran el color del matorral del odio. Y su figura. Y su andar, que nos muerde los nervios de la cabeza, que forman un raro árbol dentro de la cabeza, un árbol que mete sus ramas espantadas por entre las junturas de los sesos.

Un vientecillo que pincha baja por la ladera, husmea como un can con hambre por las callejas y se escapa ululando por el olivar del Cura, el olivar que se pinta con el ceniciento color de la plata vieja, la plata de las monedas antiguas, el confuso color del recuerdo.

Al pie del olivar del Cura, conforme se sale hacia el arroyo, una cerca de adobe guarda del lobo negro de la noche las ovejas de Esteban Moragón, alias Tinto, mozo que va a casar. La alta barda de adobe se corona de espinas erizadas, de secas y heridoras zarzas, de violentas botellas en pedazos, de alambres agresivos, descarados, fríamente implacables. El Tinto se guarda lo mejor que puede.

* * *

La taberna de Picatel es baja de techo. Picatel es alto. La taberna de Picatel es húmeda y lóbrega. Picatel es seco y tarambana. La taberna de Picatel es negra y rumorosa. Picatel es albino, pero también decidor.

Picatel tiene cincuenta años. Picatel no come. A Picatel le zurra su mujer. Picatel es un haragán. Picatel es un pendón. Picatel es fumador, es bebedor, es jugador. Picatel es faldero. Picatel fue cabo en África. En Monte Arruit le pegaron a Picatel un tiro en una pierna. Picatel es cojo. Picatel está picado de viruela. Picatel tose.

Esta es la historia de Picatel.

* * *

—¡Así te vea comido de la miseria!

—...

—¡Y con telarañas en los ojos!

—...

—¡Y con gusanos en el corazón!

—...

—¡Y con lepra en la lengua!

Picatel estaba sentado detrás del mostrador.

—¿Te quieres callar, Segureja?

—No me callo porque no me da la gana.

Picatel es un filósofo práctico.

—¿Quieres que te cuente otra vez lo de tu madre, Segureja?

Segureja se calló. Segureja es la mujer de Picatel. Segureja es baja y gorda, sebosa y culona, honesta y lenguaraz. Segureja fue garrida de moza, y de rosada color.

Segureja se metió en la cocina. Iba en silencio.

* * *

El Tinto y Picatel no son buenos amigos. La novia del Tinto estuvo de criada en casa de Picatel. Según las gentes, Picatel, a veces, entraba en la cocina y le decía a la novia del Tinto:

—No te afanes, muchacha; lo mismo te van a dar. Que trabaje la Segureja, que ya no sirve para nada más.

Según las gentes, un día salió la novia del Tinto llorando de casa de Picatel. La Segureja le había pegado una paliza, que a poco más la desloma. La Segureja, según la gente, le decía a la gente:

—Es una guarra y una tía asquerosa, que se metía con Picatel en la cuadra a hacer las bellaquerías.

La gente le preguntaba a la mujer de Picatel:

—Pero, ¿usted los vio, tía Segureja?

Y la mujer de Picatel respondía:

—No; que si los veo, la mato; ¡vaya si la mato!

Desde entonces, el Tinto y Picatel no son buenos amigos.

* * *

De las vigas de la taberna de Picatel cuelgan unos chorizos y unas tiras de papel engomado que aún guardan las moscas del verano, las moscas zumbadoras y pendencieras de julio y de agosto.

El Tinto es un mozo jaquetón y terne, que baila el pasodoble de lado. El Tinto lleva gorra de visera. El Tinto sabe pescar la trucha con esparavel. El Tinto sabe capar puercos silbando. El Tinto sabe poner el lazo en el camino del conejo. El Tinto escupe por el colmillo.

Las artes del Tinto le vienen de familia. Su padre mató una vez una loba a palos.

—¿Dónde le diste? —le preguntaban los amigos.

—En el alma, muchachos; que si no, no lo cuento.

El padre del Tinto, otra vez, por mor de dos cuartillos de vino que iban apostados, entró en una tienda y se comió una perra de todo: una perra de jabón, una perra de sal, una perra de cinta, una perra de clavos, una perra de azúcar, una perra de pimienta, una perra de cola de carpintero, tres piedras de mechero, una carpeta de papel de cartas, una perra de añil, una perra de tocino, una perra de pan de higo, una perra de petróleo, una perra de lija y una perra que sacó el amo del cajón del mostrador. Los seis reales los pagó el de la apuesta.

Después, el padre del Tinto se fue a la botica y se tomó una perra entera de bicarbonato.

* * *

El Tinto entró en la taberna de Picatel.

—Oye, Picatel...

Picatel, ni le miró.

—Llámame Eusebio.

El Tinto se sentó en un rincón.

—Oye, Eusebio...

—¿Qué quieres?

—Dame un vaso de blanco. ¿Tienes algo de picar?

—Chorizo, si te hace.

Picatel salió del mostrador con el vaso de blanco.

—También te puedo dar un poco de bacalao.

El Tinto estaba recostado en la pared, con dos patas de la banqueta en el aire.

—No. No quiero el bacalao. Ni el chorizo.

El Tinto sacó el chisquero, encendió su apagado cigarro y echó una larga bocanada de humo, con la cabeza atrás, casi con deleite.

—Me vas a traer un papel de las moscas. Hoy me da la gana de comerte el papel de las moscas.

Picatel dejó el vaso de blanco sobre la mesa.

—El papel es mío. No lo vendo.

—¿Y las moscas?

—Las moscas también son mías.

—¿Todas?

—Todas, sí. ¿Qué pasa?

* * *

Lo que pasó en la taberna de Picatel, nadie lo sabe a ciencia cierta. Y si alguien lo sabe, no lo quiere decir.

Cuando llegó la pareja a la taberna de Picatel, Picatel estaba debajo del mostrador, echando sangre por un tajo que tenía en la cara.

La pareja levantó a Picatel, que estaba blanco como la primera harina.

—¿Qué ha pasado?

Picatel estaba como tonto. La herida de la cara le manaba sangre, lenta y roja como un sueño siniestro. Picatel, en voz baja, repetía y repetía la monótona retahíla de su venganza.

—Por donde más te ha de doler... Te he de pinchar por donde más te ha de doler...

Los ojos de Picatel le bizqueaban un poco.

—Por donde más te ha de doler... Te he de pinchar por donde más te ha de doler...

La pareja se acercó al Tinto, que esperaba en su rincón sin mirar para la escena.

—¿Qué comes?

—Nada, papel de moscas. A la guardia civil no se le hace lo que yo coma.

* * *

La naranja es una fruta de invierno. El sol color naranja aún ha de tardar varias horas en oír la letanía de Picatel:

—Por donde más te ha de doler... Te he de pinchar por donde más te ha de doler...

La Segureja restañó la herida de Picatel con un pañuelo mojado en anís. Después le puso vinagre en la frente, para que espabilara.

—Por donde más te ha de doler... Te he de pinchar por donde más te ha de doler...

—Pero, ¿qué dices?

Picatel, con los ojos cerrados, no escuchaba la voz de la Segureja.

—Por donde más te ha de doler... Te he de pinchar por donde más te ha de doler...

* * *

En el cuartelillo, el Tinto le decía al cabo que él no había querido más que comerse el papel de las moscas.

—Se lo puedo jurar a usted por mi madre, señor cabo. Yo, en comiéndome el papel de las moscas, me hubiera marchado por donde entré.

El cabo estaba de mal humor; la pareja le había levantado de la cama.

Cuando la pareja dio dos golpes sobre la puerta de su cuarto, el cabo estaba soñando que un capitán le decía:

—Oiga usted, brigada, se trata de un servicio difícil, de un servicio que tiene que ser prestado por un hombre de mucha confianza.

El cabo no entendía del todo lo del papel de las moscas.

—Pero bueno, vamos a ver: usted, ¿por qué se quería comer el papel de las moscas?

El Tinto buscaba una buena razón, una razón convincente:

—Pues ya ve usted, señor cabo: ¡un capricho!

* * *

La gente, la misma gente que había preguntado a Segureja lo que había pasado entre su marido y la novia del Tinto, se agolpó ante la cerca de adobe que hay al pie del olivar del Cura, conforme se sale hacia el arroyo.

Una hora antes, Picatel había saltado como un garduño la alta barda de las espinas y las zarzas, de los vidrios y los alambres desgarradores.

Picatel llevaba en la mano una faca de acero brillador, una faca cuya luz semejaba en la noche el temblor de una tenue rendija en la ventana que no ajusta del todo, en la ventana que siempre deja un resquicio abierto, quién sabe si a la venganza, al miedo o a la desesperación.

Picatel llevaba en la boca la temerosa salmodia que le empujó por encima de los adobes del corral del Tinto.

—Por donde más te ha de doler... Te he de pinchar por donde más te ha de doler...

Picatel se acercó a las ovejas, tibias y prometedoras, aromáticas y femeniles. Su corazón le andaba a saltos, como cuando se encerraba en la cuadra con la novia del Tinto.

Picatel paseó entre las ovejas, celoso como un gallo, rendidamente lujurioso como un sultán que vaga su veneno por entre las confusas filas de un ejército de esclavas desnudas.

A Picatel se le hizo un nudo en la garganta.

—Por donde más te ha de doler... Te he de pinchar por donde más te ha de doler...

Picatel palpó los lomos a una oveja soltera, a una cordera que miraba como su mujer, de moza, o como la novia del Tinto derribada sobre el suelo de estiércol de la cuadra.

A Picatel le empezaron a zumbar las sienes. La cordera se estaba quieta y sobresaltada, como una novia enamorada y obediente.

A Picatel se le nublaron los ojos... La cordera también sintió que la mirada se le iba...

Fue cosa de un instante. Picatel echó el brazo atrás y descargó un navajazo temeroso en el vientre de la cordera. La cordera se estremeció y se fue contra el suelo del corral.

Una carcajada retumbó por los montes, como el canto de un gallo inmenso y loco.

* * *

La gente, la misma gente que decía que entre Picatel y la novia del Tinto había más que palabras, seguía, firme y silenciosa, ante el corral que queda al pie del olivar del Cura, conforme se sale del pueblo, camino del arroyo.

La pareja no dejaba arrimar a la gente.

Ese hombre que llega tarde a todos los acontecimientos, preguntó:

—¿Qué ha pasado?

—Nada —le respondieron—, que Picatel despanzurró a las cien ovejas del Tinto.

* * *

Sí; la naranja es una fruta de invierno.

Cuando el sol color naranja llegó rodando, más acá de los montes, por los remotos caminos del mundo, por los lejanos e ignorados caminos del mundo, ya Picatel marchaba, más allá de la colina de duro pedernal, de espaldas a las casas canijas, negruzcas, lisiadas, por aquellos caminos que llevaban al mundo, andando como un sonámbulo, repitiendo a la media voz del remordimiento:

—Por donde más te ha de doler... Te he de pinchar por donde más te ha de doler...

El sol color naranja alumbraba la escena, sin darle una importancia mayor.

Sí; sin duda alguna, la naranja es una fruta de invierno.

UNA RUEDA DE MAZAPÁN PARA DOS

Cuando llegue a Madrid, será la Navidad. Es posible que pueda llegar el mismo día de Nochebuena. La pobre Concha estará ya repuesta, ya podrá levantarse, incluso estará guapa y arreglada como nunca. Yo le llevaré una gran rueda de mazapán. Bueno, una gran rueda de mazapán, no; para dos no hace falta una gran rueda de mazapán. Le llevaré una rueda de tamaño mediano, pero de buena clase, una rueda con frutas escarchadas haciendo adornos y todo el borde rizado de almíbar. Por cuarenta pesetas yo creo que encontraré una rueda que esté bastante bien. Y cuarenta pesetas, aun contando con el billete de ida y vuelta, y aunque allí tenga que hacer algún pequeño gasto, sí tengo. Y más también. La pobre Concha se pondrá muy contenta al verme. Estas separaciones son crueles; pero el tiempo pasa, las cosas tienden a arreglarse, y quizás dentro de dos años pueda casarme y traerla conmigo a la provincia. Su salud no es buena, pero yo pienso que poco a poco se irá reponiendo; lleva ya una temporada bastante bien. Yo creo que cuando llegue a Madrid podrá recibirme de pie. ¡Qué gran ilusión! Pensar que fuese a esperarme a la estación sería pedir demasiado. La pobre Concha no está para muchos trotes. La crujida que pasó fue muy fuerte, y ya nos conformamos con que la pobre haya podido salir adelante. Pero ella es una mujer joven, animosa, de buen humor, y yo creo que esas condiciones son muy buenas para recuperar la salud. Si estuviese todo el día diciendo: ¡ay, qué horror, esto no es vida!, probablemente no se curaría nunca, se iría quedando lánguidamente delicada, como esas señoritas que se pasan la vida tocando valses y polonesas en el piano, y se le pondría el mirar profundo y febril, las manos transparentes y marfilinas, el pecho hundido y suspirador. Pero no; ella es de otra manera, de otra forma distinta de ser; lo que ha pasado no ha sido más que un bache en su vida; ella es dinámica, activa, organizadora, es una mujer admirable, absolutamente admirable, una mujer que jamás diría, aunque se estuviera muriendo: ¡qué horror, qué horror; esto no es vida!

* * *

El señorito Antonio era el héroe doméstico de doña Clotilde, la dueña del fonducho donde vivía.

—Es un santo —decía doña Clotilde a todo el mundo—, lo que se dice un verdadero santo, que no hace más que ir de casa a la diputación y de la diputación a casa y pasarse todas las horas del día contando las alabanzas de su novia, de la pobre Concha, como él dice, que para mí es una de esas señoritas de Madrid con más vueltas que un caracol, aunque él está convencido de que si no es Juana de Arco es porque no le dio la gana. Pero lo que yo digo es que el señorito Antonio está como alelado y con el seso sorbido, y un día se va a encontrar con un lío en su oficina, porque el jefe le va a decir de repente: oiga usted, Antonio, tráigame la *Gaceta* del 3 de mayo de 1919, y el hombre no se va a acordar de dónde había guardado la *Gaceta* del 3 de mayo de 1919. El jefe puede ser que le grite; pero si eso empieza haciéndolo todos los días, acabarán por echarlo, y entonces de nada le servirá que vaya a ver al jefe y le diga: hombre, no me eche usted a la calle, que soy ex cautivo, porque el jefe le dirá: sí, ya lo sé, pero no me sirve usted para nada y, además, hay por ahí la mar de excautivos e incluso excombatientes que harían esto mucho mejor que usted. Y sería una pena, porque el señorito Antonio es muy buen chico; que el hombre esté un poco a pájaros no significa nada, que también hay muchos sabios que están a pájaros y de paso inventan medicinas para curar la tos ferina y hasta el asma.

* * *

Don Leonardo era el jefe de la sección de cédulas personales de la diputación provincial. Don Leonardo era un señor pequeñito, bondadoso, atildado, que nunca se hubiera atrevido a decirle al señorito Antonio: mire usted, Antonio: hay que aplicarse más; lo veo a usted más holgazán esta temporada. No, jamás. Don Leonardo, si hubiera tenido que reñir al señorito Antonio, le hubiera dicho: verá usted, Antonio: ya sabe usted que yo lo quiero como a un hijo; yo tendría que decirle... vamos, que rogarle... ¿cómo diríamos?... Usted ya me entiende... Usted para mí es como un hijo, como un verdadero hijo; yo no tengo que decirle nada; usted es un chico inteligente que sabe de sobra lo que quisiera decirle... ¡A buen entendedor...! Pero don Leonardo no tuvo que decirle nada; don Leonardo estaba muy contento del comportamiento del señorito Antonio.

Un ujier se metió en el archivo donde trabajaba el señorito Antonio.

—Oiga, que el jefe dice que vaya.

—¿Yo?

—Sí. Usted.

El señorito Antonio se arregló un poco la corbata y se pasó la mano por la cabeza para alisarse el pelo.

Por los oscuros pasillos de la diputación, el corazón latía en el pecho del señorito Antonio, al mismo ritmo que sus rápidos pasos.

—¿Da su permiso?

A través de la gruesa puerta de madera, y como amortiguado por los legajos que cubrían las paredes hasta el techo, al señorito Antonio se le figuró oír un lejano: ¡Adelante!

—Siéntese usted, Antonio; tengo que hablar con usted sobre este permiso de Navidad.

Al señorito Antonio se le secó la garganta de repente; quiso decir algo así como: muy bien, lo que usted guste; pero no pudo.

—A mí me parece muy razonable su pretensión. Querer pasar la Navidad con la prometida, sobre todo cuando, por las circunstancias, se permanece separados todo el año, me parece justo y razonable, muy razonable. He hablado con el señor jefe de personal y no ha puesto objeción alguna; su expediente es bueno y ha accedido gustoso a su petición...

Al señorito Antonio, por la parte de dentro de los ojos, le empezaron a volar, vertiginosamente, como una nube de veloces y zigzagueantes golondrinas de color de plata. Cerró un momento los ojos, y las golondrinas le picaban en los párpados, para que los abriese...

—... de que el permiso se le amplíe en dos días para poder llegar el mismo día de Nochebuena a Madrid. Y aquí tengo el oficio firmado por el señor presidente. Tómelo usted, y enhorabuena. Que sea muy feliz y que Dios les bendiga a su prometida y a usted.

Don Leonardo sonrió.

—Y a ver si el año que viene ya me la presenta usted como su señora.

El señorito Antonio ni se movió ni dijo una palabra. Quiso sonreír, pero tampoco pudo sonreír. Quiso alargar la mano para recoger el oficio firmado por el señor presidente, pero tampoco pudo alargar la mano para recoger el oficio firmado por el señor presidente.

—¿Qué le pasa? ¿Se siente mal?

El señorito Antonio estaba pálido. Un hombre muy inteligente hubiera adivinado en sus ojos una alegría inmensa.

—Serénese, Antonio, serénese un poco. ¿Se siente mal?

Don Leonardo se levantó y fue por el botijo.

—Beba usted agua y váyase después a tomar un café. Eso le hará bien.

Don Leonardo sostuvo el botijo para que el señorito Antonio pudiese chupar dos o tres tragos. El señorito Antonio sonrió y habló con una voz ronca y extraña, con una voz que parecía sonar detrás de un tabique.

—Gracias, don Leonardo, muchas gracias; es usted muy bueno conmigo, con nosotros. La pobre Concha también se lo agradecerá... ¿Puedo marcharme?

—Sí, hijo, váyase usted. Guarde usted bien el oficio...

El señorito Antonio, al verse en el pasillo, salió corriendo como un niño asustado. Después se echó a llorar. Después se fue a tomar un café.

El señorito Antonio era profundamente feliz.

* * *

Desde la ventanilla del vagón de tercera se veía un campo triste, inhóspito, desolado, un campo de fríos charcos, de árboles desnudos y ateridos, de pajaritos de plumas grises que volaban resignadamente bajo el frío.

Quizás desde las ventanillas de los vagones de primera se divisase un bello paisaje blanco y navideño, blancamente nevado como en los cuentos de Andersen, cruzado de vez en cuando por alegres campesinos que cantaban villancicos y llevaban un haz de leña al hombro para encender el gran fuego de la Nochebuena. Todo puede ser.

El señorito Antonio, sentado en su vagón de tercera, con la rueda de mazapán bien envuelta y puesta sobre las rodillas, no atendía a la conversación de los demás viajeros.

—El tren llegará a Madrid sobre las ocho. Es muy buena hora. Concha ya habrá recibido mi telegrama, ya estará impaciente la pobre...

En el vagón de tercera hacía un frío cruel, un frío que se metía en los huesos y allí se quedaba, buscando un poco de calor. En un rincón, dos guardias civiles, enfundados hasta las orejas, fumaban en silencio el lento y negro tabaco del aburrimiento. Una señorita mayor, con aire de pensionista, llevaba trescientos kilómetros comiendo avellanas; de vez en cuando preguntaba qué hora era. Dos mujeres y un hombre gordo, lustroso y sin corbata, hablaban por los codos y bebían de una botella de vino blanco de marca. Un mocito flaco, como de catorce años, miraba, abstraído y silencioso, para los bultos de la rejilla, amontonados, resignados y quietos como emigrantes...

—La pobre Concha se pone muy nerviosa en estos casos. Yo la animaré, y le diré: ¿Te das cuenta de que ya es una Navidad menos que pasaremos solteros? Ella, a lo mejor, se emocionará demasiado. No; será mejor que no le diga nada, que le diga otra cosa menos, ¿cómo diría?, menos cariñosa. Mi cariño ya no se lo tengo que demostrar; ya ella sabe, desde hace tiempo, que es mucho y de buena ley...

* * *

Con su rueda de mazapán debajo del brazo, el señorito Antonio bajó corriendo las escaleras del metro. Al entrar en el vagón, una mujer le tropezó con violencia.

—Señora, por Dios, no empuje usted así. ¿No ve que, por poco, me aplasta usted mi rueda de mazapán?

Al llegar a su estación, el señorito Antonio, que salió como un loco, atropelló a la mujer. El señorito Antonio ni la miró ni le pidió perdón. El señorito Antonio tenía otras cosas en que pensar.

Desde la boca del metro hasta casa de Concha habría unos cuatrocientos pasos. El señorito Antonio entró como una bala en el portal. El ascensor estaba subiendo y había que esperar. ¡Qué fatalidad!

El portero le saludó muy fino:

—¡Felices pascuas, señorito Antonio, y bien venido! La señorita Concha dejó una carta para usted.

—¿Eh?

—Que la señorita Concha dejó una carta para usted.

El señorito Antonio procuró simular tranquilidad.

—¡Ah, sí! A ver, démela usted.

La carta de la señorita Concha decía así: Adiós. Pienso ser más feliz que contigo. Que Dios te ayude. Concha.

El señorito Antonio no dejó caer la rueda de mazapán, la apretó con más fuerza. El señorito Antonio se encontró, de repente, completamente tranquilo. El señorito Antonio sonrió.

—Óigame, Serafín: ¿me hace un sitio en su mesa de Nochebuena?

Serafín era el que estaba al borde del llanto. Algo adivinaba que le producía ganas de llorar.

—Ya sabe usted que sí, señorito Antonio; pero no piense usted que va a comer pavo...

Serafín y el señorito Antonio se fueron hacia la portería.

—Yo pongo esta rueda de mazapán. No tocaremos a mucho, claro, porque esta era una rueda de mazapán para dos.

Serafín se fue para dentro y al cabo de unos instantes volvió con su mujer y con todos los chicos.

La mujer de Serafín le dijo al señorito Antonio:

190

—Ya me dijo mi Serafín lo que le pasa. ¡Hay que ver lo que le hizo la señorita Concha!

Y el señorito Antonio le dijo a la mujer de Serafín:

—¡Qué vamos a hacerle, señora Engracia! ¡Cada cual mira por lo suyo!

* * *

Fuera, un perro vagabundo, con el rabo entre piernas, las orejas lacias, las lanas empapadas, pasaba a un trotecillo aburrido, como escapando, sin demasiada ilusión ni esperanza, de su propia soledad.

El día 23 de noviembre de 1949, en mi casa de la calle de Ríos Rosas, de Madrid, dicté este cuento con más de 40° de fiebre. No tenía una peseta, ni de donde saliese, y no era cosa de desperdiciar la ocasión de ganarme unos duros (exactamente noventa duros). Ahora, al cabo de los años y ya sin demasiados agobios económicos, recuerdo aquellos amargos y heroicos tiempos casi con estupor.

I

La guerra empezará en el fin del mundo, ya lo verán ustedes. Después se irá extendiendo poco a poco, como una inundación, y no van a ser muchos los que libren el pellejo.

Doña Fabiola tenía un lunar en la mejilla, un lunar grueso y peludo en forma de tiesto.

—El mundo anda ya mal desde hace un montón de años; para mí que no hay quien lo arregle.

Doña Gala Domínguez estuvo casada con un brigada de carabineros que murió en La Alberguería, provincia de Salamanca, hace ya tiempo, de unas tercianas que lo fueron dejando amarillo y cuarteado como un pájaro muerto al que le ha llovido por encima. Doña Gala tenía seis hijos de su matrimonio. Bueno.

—Oiga, doña Fabiola, entre chinos y coreanos, ¿cuántos habrá?

—¡La mar de ellos, amiga Gala! ¡Lo menos tres veces más que españoles!

—¡Qué atrocidad! A eso no debía de haber derecho.

Doña Fabiola Padilla se cortaba, a veces, los pelos del lunar. Los domingos se daba algo de colorete, y el 21 de marzo, que es el día de su santo, se ponía un traje de terciopelo verde y un sombrero con un grueso alfiler dorado. El resto del año andaba siempre de luto.

—¡Pompas, pompas! ¡Pompas y vanidades! En fin... Oiga, amiga Gala, ¿vino su marido?

—¡Ay, no, hija! Lo estuvimos convocando toda la noche, pero, ¡que si quieres arroz, Catalina!

—¿Cómo?

—Pues eso, que no compareció.

—¡Vaya por Dios!

La niña menor de don Generoso estaba novia de Hilario. Hilario vivía del sable y del tupé.

—¿Por qué no haces unas oposiciones?

—Pues porque no me da la gana.

Ferminita sonreía gozosa.

—¡Ay, chato, qué hombre eres!

Don Generoso Cortés coleccionaba sortijas de puros.

—No vaya usted a creer que esto es una chifladura o una mentecatez. Esto se llama la vitolfilia, y viene del latín *vito,* vitola, y *filia,* colección; yo antes creía que *filia* significa hija, pero después me dijeron que no, que hija era otra cosa.

Hilario, a veces, le guardaba alguna sortija de puro, y después se la daba.

—Gracias, hijo, que Dios te lo pague.

—De nada. Oiga, don Generoso, que no es coba, ¿eh?, que es aprecio.

Don Generoso tenía un jilguero que antes, hace unos meses, se llamaba Hilario; después le cambió el nombre y le puso Plácido.

Hilario y Ferminita, cuando tenían un duro, se metían en un cine de barrio, en un cine de sesión continua, y allí estaban las horas muertas, muy acurrucaditos, con las caras muy juntas. La chica se encontraba tan a gusto, que algunas veces hasta se dormía. Hilario es hijo de doña Gala y del carabinero muerto. Cuando el carabinero se murió, doña Gala le decía a las visitas:

—Como un angelito, se quedó como un angelito. Cuando iba a expirar, me dijo: oye, Gala, y yo le dije: ¡Qué!, y él me miró y me dijo: acércate, que voy a decir mis últimas palabras. Yo me puse muy nerviosa: anda, di, y él me miró con los ojos muy tiernos y me dijo: que mis hijos me conduzcan a la última morada. Yo le dije: bueno, y expiró.

Hilario, como los hermanos no pudieron llegar a tiempo, se puso el ataúd a la cabeza, como una cesta de manzanas o un cántaro de agua. Por el camino del cementerio, Hilario iba pensando: ¡qué poco pesa! Después se puso a pensar que pronto iban a levantar la veda. Una calandria silbaba en el trigal, que parecía teñido con manzanilla.

Doña Gala tenía las manos apoyadas sobre el vientre. Era un postura muy cómoda, esa es la verdad.

—Oiga, doña Fabiola, ¿llegarán los chinos a Madrid?

—Vaya usted a saber, amiga Gala. ¡Cosas más raras se han visto!

—¡Ya, ya! Oiga, pero, ¿usted no cree que los españoles les podremos!

Doña Fabiola, ¡zas!:

—¡Raza de heroicas virtudes es la nuestra!

—¿Eh?

—Pues que sí, que a lo mejor, sí.

Doña Fabiola se desinfló.

—En la tienda quieren darnos unas judías más malas que un dolor.

—Déjese de eso, doña Fabiola. Oiga, ¿los chinos tienen aviación?

—¡Anda, pues claro que tienen aviación!

—A mí no me cabe en la cabeza. Yo no puedo creer que los chinos tengan aviación.

—Pues la tienen.

—Bueno, la tendrán. Pero, ¡mire usted que los chinos con aviación!

Hilario Ríos Domínguez le había dicho un día a la Ferminita:

—Oye, nena, yo estoy harto de no tener un chavo. Si no se me arreglan las cosas, me marcho al tercio.

La Ferminita rompió a llorar como una Magdalena.

—Pues si tú te vas al tercio, yo me bebo una botella de lejía y me muero.

Hilario ya no volvió a decir más lo del tercio.

Doña Gala le preguntó a don Generoso, cuando ya iban bajando las escaleras:

—Oiga, ¿usted cree que doña Fabiola acertará?

Don Generoso se apoyó en el pasamanos. Tenía la mirada luminosa, como un poeta mal alimentado, y la voz ronca, igual que una recién casada.

—Yo, Gala, sólo sé que cada día que pasa la quiero más a usted.

—¡Ay, Jesús! ¡Ay, Jesús!

—Sí, Gala, yo no puedo vivir sin usted. Mi vida, sin usted, es como una noche oscura.

—¡Cállese, pecador!

—No, Gala, amar no es pecado. Los dos somos libres. Vivamos el uno para el otro. ¡Seamos felices! Adiós, doña Matilde, siga usted bien...

—Adiós, don Generoso. Adiós, doña Gala. ¡Caray, parecen ustedes dos novios!

Doña Gala se echó a llorar. Doña Matilde, cuando iba por el quinto, miró por el hueco de la escalera. Don Generoso y doña Gala, sentados en el primer peldaño del principal, se abrazaban en silencio, con una resignada alegría.

II

Doña Fabiola, en la tahona del señor Senén, se puso a hablar con la Ferminita. El día estaba algo lluvioso, igual que cuando enterraron al papá de Hilario, que fue un carabinero muy aparente, un carabinero muy reglamentario.

La Ferminita tenía aire de estar pasada de frío, dentro de su abriguillo de algodón.

—¿Y tu papá, rica?

—Pues ya lo ve usted, doña Fabiola, con la que nos ha salido ahora. ¡A la vejez, viruelas! El pobre lleva tres días sin comer y componiendo versos.

—¿Y qué dice?

—Pues dice que no hay nada tan bello como el amor y que quiere morirse.

—¡Pero, hombre!

—Sí, señora, yo estoy la mar de preocupada. Estas cosas del corazón nunca se sabe en lo que van a parar.

—Ya, ya. Y tu novio, ¿qué dice?

—Pues ya ve usted, mi novio se ha puesto muy burro, no es nada comprensivo. Dice que hay que ser más decentes y que ya podían haberse acordado antes.

Doña Fabiola se sonó las narices; hizo un ruido tremendo, un ruido como de trompeta partida.

—Pues, hija, no creas que no le falta razón. ¡Mira tú que la pareja!

La Ferminita se sobresaltó.

—¿Qué le pasa a la pareja? Es una pareja como otra cualquiera. Si se quieren, ¿por qué no se lo han de decir?

—¡Anda! Entonces, ¿tú ves bien ese lío?

—No es un lío, doña Fabiola. Mi papá es un hombre decente. Yo pondría una mano en el fuego porque no le toca un pelo de la ropa hasta que estén casados como Dios manda.

Doña Sabina, la dueña de la tahona, la mujer del señor Senén, está espantada de lo que viene oyendo desde hace ya varios días. La verdad es que ella, a pesar de todo, nunca se hubiera atrevido a dar demasiado crédito a las habladurías. La gente, ya se sabe, habla muchas veces por hablar.

—¡Bah! —pensaba—. ¡Qué ganas tiene la gente de inventar!

Cuando la Ferminita se marchó, doña Sabina le dijo a doña Fabiola:

—Oiga, doña Fabiola, ¿hay algo nuevo de esa maldita guerra de los chinos? Para mí, que de ahí no va a salir nada bueno, ya lo verá usted.

—Pues, sí, amiga Sabina, las cosas no marchan como fuera de desear.

—Ya, ya. Al final nos van a liar a todos, ya verá.

Doña Fabiola sentía como una oleada de felicidad subiéndole por el pecho.

—Pues, sí, es eso lo malo. Es como una inundación, igual que una inundación. Van a ser pocos los que libren el pellejo.

—¡Qué horror, doña Fabiola! ¡Dios nos coja confesados!

Doña Fabiola puso el mirar profético y evadido, parecía un mirlo.

—... La guerra empezará en el fin del mundo...

Doña Sabina sonrió, orgullosa de entender.

—Eso digo yo; esta guerra va a ser el fin del mundo.

Doña Fabiola miró a doña Sabina con extrañeza. Las madres de familia —desmadejadas, pálidas, tiernas— y las criadas de servir —garridas, rebosantes, rozagantes— cortaban sus cupones y contaban sus cuartos en silencio.

Fuera, un perro enamorado olfateaba un farol con delicadeza, con aplicación, incluso henchido de buenos propósitos.

LA ESPERANZA

Nenias en loor de un amigo

Sucedió igual que en los viejos cuentos, los que se narran en torno al tronco en llamas del hogar, mientras el viento silba en las chimeneas, los trasgos revuelven el desván y las últimas brujas, las más siniestras, ensayan contra la negra noche sus cargas de caballería a la jineta sobre palos de escoba.

Don Dámaso —barbita y corte de pelo a lo cepillo, cuello de pajarita y finas gafas de pinza, soltero, setentón y liberal— se había quedado dormido, como todas las noches, en el más oscuro trasfondo de la honesta, de la amplia, de la maternal cocina campesina.

Rigoletto, el gato de la patrona, ronroneaba sobre la saya del ama, feliz y consentido como un niño rico, mientras Bandujo, galgo ibicenco, canelo y rabón, enroscado como una rueda de mazapán, soñaba con liebres en el campo abierto, con rastrojeras sin límites y con soles de agosto abrasadores.

Don Dámaso sabía que su remoto, su insospechado patrón era el dulce Francisco de Asís, curador de bestias, amansador de fieras, amigo del lobo y del cordero, el norte y el sur de los corazones.

Caballero en su yegua torda, defendiéndose del viento y del frío con su capote de parda cuatreada, de buen ver todavía, airoso vuelo y recia primidera, don Dámaso, con su alma de álamo y su estampa de penúltimo quijote, era una figura que decoraba el paisaje familiar, la umbría vaguada, la barbechera de color de olvido, el tímido, el apretado caserío dormido en torno a la inmensa y amorosa clueca de la iglesia.

—Que la mula va mal, don Dámaso.

Y don Dámaso, perito en las artes que ahuyentan las maldiciones del ganado, encendía un pitillo, buscaba el camino de la mula enferma, y la curaba con su sonrisa de viejo y misterioso patriarca.

—Que la vaca no marcha, don Dámaso.

Y don Dámaso, experto en vidas, sacaba chispa de su chisquero, se arrimaba al establo de la vaca enferma, y la curaba con su sonrisa de anciano y extrañísimo patriarca.

—Que los patos, don Dámaso...

—Que el perro, don Dámaso...

—Que el asnillo rucio, don Dámaso...

Sí, igual que en los viejos cuentos; sucedió igual, exactamente igual que en los viejos cuentos. Las nubes, a media asta, anunciaron al mundo que todo había sucedido como en los cuentos.

El mundo —al norte, el cerro de la Golondrina; al este, el arroyo del Mirlo; al sur, el vallecico del Ruiseñor; al oeste, el baldío de la Calandria—, el vastísimo, el inmenso mundo que lloró a don Dámaso, apareció, aquella mañana, pintado de blanca nieve, envuelto en una blanca y purísima color.

—¿Y cómo fue?

—¡Igual que un pajarito, hermano, igual que un pajarito del cielo!

El ganado mugió con sordina sobre el pavor del campo y los pájaros, espantados de su propio dolor, enmudecieron, aquella mañana, sobre los rígidos y resignados brazos de los espantapájaros.

—¿Pero...?

—Sí, igual que un pajarito, hermana, igual que todas las noches. Pero anoche se le paró el corazón.

La corza del monte no saltó aquel día. Y el lobo ayunó. Y la zorra no robó. Y la yegua torda se negó a beber el hondo cubo de agua... Y el gorrión se escondió bajo la teja más alta del campanario.

Dios, desde su torre, bendijo el silencio que se extendió, manso como el mejor dolor, sobre el mundo del que don Dámaso —Dios sabría por qué— se escapaba de puntillas, igual que un niño.

Rigoletto, el gato de la patrona, pudo llevarse de la cocina media docena de truchas frescas como el agua de abril. Y no lo hizo.

Bandujo, el galgo de la piel color café con leche, se escapó al campo, a contar a la liebre que había escuchado la campanada de la paz.

—¿Y dice usted...?

—Sí, todos lo dicen. Allá arriba, en el cielo, más lejos, mucho más lejos de las últimas nubes.

El águila voló muy alto, todo lo alto que pudo.

—¿Por encima del vuelo del águila?

—Sí, por encima del vuelo del águila, mucho más alto todavía.

En las caras se habían dibujado las tres rayas curvas de la desesperanza.

Y la voz que aún tuvo fuerza para hablar, se enronqueció.

—¡Sí...!

Sucedió igual que en los viejos cuentos, los que se narran en torno al tronco ardiendo en el hogar, mientras el viento se pelea con las tejas, los trasgos se disfrazan de cuervos y las últimas brujas, las más flacas y desgarbadas, chillan como condenadas en el aquelarre.

Sí. Sucedió igual que en los viejos cuentos, aquellos que, después de contados, aún dejan un tímido ventanillo abierto a la esperanza...

Y la esperanza es un poco la sonrisa de Dios. A veces tiene forma de flor de manzano. A veces semeja una blanca nube. A veces es la estampa del penúltimo quijote que se recuerda...

Segunda parte
Meigas fora

Ao meu curmán o garelo tatelo Fiz d'os Ca-
neiros, de alcume Larchanciño Bastabaleiro, a
quen escarallou o misto descente das vinte vinte.

EL GARAMILLAS DE LA RAMALLEIRA, PASTEQUEIRO DE PRO

Orvalla sobre Pontevedra —boa vila— tiernamente, como pudiera llover sobre un corazón. La niebla ha subido ría arriba, muy de mañana, con su paciente trote de bestia mitológica, y el aire se ha hecho suave, tímido, tibio, igual que un débil aliento enamorado.

Rosiña a Tatela, que está comida del meigallo, baja con su madre por el camino de Amil, tras las brañas de Acíbal, más allá de monte Rapadiño, tierra de lobos y de raposas. Las dos mujeres marchan, pidiendo por el amor de Dios para no mermar el jornal del pastequeiro, hacia el lugar de Santa Marta, en la parroquia de San Pedro de Tomeza, al otro lado del Lérez, del viejo Vedra, en la ruta de Arcade y de Redondela.

Rosiña a Tatela, que tiene el demonio en el cuerpo, anda con el ramo cativo secándole las carnes y dejándola blanca y lela como la flor del alhelí.

¡Quién te ha visto y quién te ve, Rosiña de Moymenta, que fuiste flor galana de carpazonas, moza como una potra, ardiente y dorado tojo de los montes! ¿Qué amador desesperado te dio la manzana pinchada con las dos agujas en cruz? ¿Quién te buscó el feitizo, Rosiña de Moymenta, que te dejó tatela y extraviada?

Un americano de Toyriz, en la tierra de Deza, que andaba a la trucha por el Ullán, se topó con Rosiña en Ponte Arciyago, que iba con su madre a vueltas, camino del sepulcro del Apóstol.

—Es linda la niña tonta y la camisa se le mueve como a las elegantes. ¿Por qué no la lleváis al brujo de Santa Marta, más allá de Pontevedra?

Rosiña a Tatela, que tiene dieciséis años, va de la mano de la madre, que tiene treinta, en busca de quien le haga vomitar el meigallo.

Dicen que el Garamillas de la Ramalleira, el hijo de Valja de Bértola, cura a los sucios en Santa Comba y remata a los malos espíritus en San Cibrán.

Rosiña de Verdocido, la madre de Rosiña de Moymenta, la tatela que antes fuera airosa y olorosa como el capullo de la madreselva, lleva en el refajo cinco pesos que ahorró: tres para el pastequeiro, si le sana la moza, y dos para el pan y el vino de la merienda.

Orvalla sobre Pontevedra —boa vila— cuando las dos Rosiñas la cruzan, mirando para el suelo, camino de la casa del Garamillas.

Bisojo, verrugueiro y zarabeto —¡válgame San Cibrán!—, o Garamillas da Ramalleira, que cura o mal co'a baxoira de xesta...

Perdón. Quizá no vaya claro.

El Garamillas de la Ramalleira mira contra el gobierno y no se quita las verrugas con la sal, con la hoja de col y con las palabras sacramentales:

> Sou o fillo de Xan Verrugueiro.
>   Verrugas traio,
>   verrugas deixo.
>   Déixoas quedar
>   e vóume correndo.

Rosiña de Verdocido pega trompadas a su hija, Rosiña a Tatela, que no quiere caminar.

—¡Ay, pécora, ay, mala pécora, que tés o demo no corpo!

Rosiña de Moymenta mira a su madre, con aire de bestia enferma, los ojos como perdidos, húmeda la nariz, la boca babeante, el pelo revuelto, la piernas temblonas y desfallecidas.

—¡Ay miña naisiña, qu'eu morro, que non podo votar fora o demo!

El Garamillas de la Ramalleira, como el cura no le deja entrar en la iglesia, anda con sus dos cruces de Caravaca por debajo de los hórreos, como un lagarto.

—Tú no has de comer de la merienda, Rosiña de Moymenta, que tu parte es para las ánimas del cementerio.

—No, señor, no. Yo no he de comer de la merienda.

El Garamillas se rasca las verrugas debajo del paraguas que sostiene Rosiña de Verdocido.

El Garamillas huele a buey en invierno, a buey mojado.

> Si eres de mal hechizo,
> libérame dómine;
> si eres tocado a gente e diversa,
> libérame dómine;
> y si eres tocado a Satanás,
> réquiem en paz.

Rosiña a Tatela escucha al Garamillas de la Ramalleira, casi con atención, diríase que con curiosidad.

Rosiña de Verdocido mira al pastequeiro casi con devoción.

El Garamillas, como es bizco, no sabe adónde mira.

Orvalla sobre Pontevedra —boa vila— cuando en Santa Marta do Pombal, Rosiña y el Garamillas se pelean con el demonio...

> Roquiño Cela ten bichiñas
> com'o seu tío, o de Padrón.
> Deixa vivir a da fariña
> com'a ti o demo te deixóu.

Por la tierra de Gayoso, sopla el viento que viene de la mar rebotando en el monte Quadramón, asustando a las mozas que se bañan en el río Tamboga —las mozas de Vasconcello, de Cospeyto y de Villapene, las de la camisa blanca y las carnes como el guisante de olor— susurrando los versos del viejo Noriega, el doliente poeta que cantó la dorada y tímida florecilla del tojo.

> Rosenda de Cadeirido
> y a Carmiña d'a Sisalda
> naceron aló entr'os toxos
> n'un recuncho d'a montaña.

Carmiña d'a Sisalda está de mustia color.

—¿Qué tés, Carmiña d'a Sisalda, moza garrida, prieta manzana, que andas con el andar sombrío, y baja la color, y una lágrima brillándote en los ojos?

—¡Ay, meu señor!

—¿Qué mal de amores te aflige, Carmiña d'a Sisalda, la triunfadora de la noche de San Juan, cariñosa bestia familiar, pechugona y rozagante loba tres veces madre?

—¡Ay, meu señor!

—¿Qué te pasa en el corazón, Carmiña d'a Sisalda, tú que andabas como una princesa y ahora vas de huida, como la raposa?

—¡Ay, meu señor!

Roquiño Cela, el rapaz que fuera talmente como un turbión, el hijo de Carmiña d'a Sisalda y de mi hermano Telmo, besteiro que anda a cimarrones por los montes de Rebordechao, está lombriguento como un estercolero, blanco y sin hambre.

Carmiña d'a Sisalda, con el niño en brazos, va buscando a María d'a Portela, en la parroquia de Narla, la sabia del lombrigueiro.

—¿Dónde estás, María d'a Portela, que he de verte, para que me sanes el rapaz? ¿Dónde desconjuras la lombriz, María d'a Portela, en cuál de las trece aldeas de la parroquia de San Pedro de Narla? ¿Tienes tu casa en Portela, María d'a Portela? ¿Tienes tu casa en Golmar o en Cabeza de Vaca? ¿Vives entre los carballos de Aireje o entre los de Montecelos? ¿Dices los ensalmos en Purreira o en Espiñeira? ¿Te enseñas en Chao, en Cima da Vila o en Todón? ¿Sanas a los rapaces lombriguentos en Vilar o en Pontella? ¿Te he de encontrar en Pacios, María d'a Portela?

Sopla el viento por encima de Friol, que mira a los montes que no lo paran.

—¡Ay, meu señor! ¡Válganos el Apóstol y Santa María, madre de Jesucristo!

* * *

—¡Demo fora, demo fora!
—¡Amén, así sea!
—¡Demo fora, demo fora!
—¡Amén, así sea!
—¡Demo fora, vaite fora! ¡Demo fora, demo fora!
—¡Amén, así sea!

María d'a Portela tiene un libro en latín cuya lectura quita las lombrices. María d'a Portela tiene un aire solemne de vieja sacerdotisa de los ritos antiguos.

> Roquiño Cela ten bichiñas,
> ten unha,
> ten tres,
> ten cinco,
> ten sete,
> ten nove.
> Todas elas morran,
> sólo quede a bé-a-bá.
> Con poder de Dios,
> e d'a Virxen María,
> un Padrenuestro
> e-unha Ave María.

La bé-a-bá es la lombriz d'a fariña o la del cocal, la maestra de todas, que no ha de dejarlas levantar cabeza.

—Carmiña d'a Sisalda, ¿traes el lomo y el unto, el aceite y el pan de trigo?

—Sí lo traigo, María d'a Portela, y aquí lo pongo.

—Pues vamos a merendar y que Roquiño mire.

Roquiño se queda sobre la artesa, como un jilguero enfermo, y mira cómo meriendan las mujeres. Roquiño no dice nada, es de una vieja raza acostumbrada a aguantar las injusticias y las lombrices con resignación.

María d'a Portela hace un amasijo con la merienda que no comió Roquiño y le añade un poco de unto, unos ramitos de ascenta, unas virutas de lana de compañón de carnero padre y unas briznas de cherrizo, de hollín de la chimenea.

María d'a Portela envuelve el zurullo en una col, y lo mete en el brasero. Después de rezar cinco credos, María d'a Portela unta al niño de abajo arriba, empezando por los pies.

Un perro aúlla a la Santa Compaña que marcha, por el río abajo, tocando la campanilla que sólo escuchan los que se han de condenar.

> Virxen Santa que me ve
> curar a un anxeliño do ceo,
> pol-as llagas que soféru
> noso Señor no Calvario,
> dame forzas pra matar
> as lombrigas que padece;
> e que non lle volvan máis
> a este anxeliño qu-é téu,
> padecendo lombrigueiro.

Carmiña d'a Sisalda está callada, con las manos juntas.

—¿Sanas, meu fillo?

—Non séi.

Carmiña d'a Sisalda, que vive lejos, que no puede andar yendo y viniendo por los caminos con Roquiño a cuestas, pide a María d'a Portela que le desconjure las lombrices al tierno galán.

María d'a Portela enciende una lamparilla de aceite y busca en su libro de latines.

Roquiño está callado.

—Aquí, non.

Roquiño rompe a llorar.

—É aquí.

María d'a Portela no cobra dinero. Ella lee su latín, y si el niño sana, bendito sea Dios y Nuestro Señor Santiago. Si el niño no sana...

—Son muy grandes as lombrigas, Carmiña d'a Sisalda, e Noso Señor non quere que morran.

El viento sopla como un can de huida, el viento que viene de la mar rebotando en el monte del Xistial.

LA VERDADERA HISTORIA DE COBIÑO,
RAPAZ PADRONÉS QUE CASÓ CON SIRENA DE LA MAR

¿ Y usted dice que sabe la verdadera historia de Cobiño, el rapaz padro-
nés que casó con sirena de la mar?
    —Sí, señor, que la sé y muy bien sabida: que me la hubo de contar, va
ya para muchos años, el sacristán de Santa Comba, que le tiene fama de
muy milagreiro.

* * *

El pregonero, con solemne ademán, y en tempo lento, dice así:
Lentamente descubre el telón,
       al alzarse, el

LUGAR DE LA ACCIÓN

    Arde el roble en el hogar.
Aúlla el perro al ladrar.
Silba el viento en el pinar.
Gime el burro al rebuznar.
Duerme el niño en el pajar.
Llora un mirlo su silbar.
Ronca la vieja al hilar.
(Cobiño irá por la mar.)
Se muere el gallo al cantar.
Sueña la moza al amar.
Sangra un grillo su rascar.
Bebe el hombre en el lagar.
(Tiembla, trémulo, en la noche,
un espíritu fantoche.)
En torno del ancho lar
se sientan a conversar
de muertos y de viajes
los siguientes

PERSONAJES

El sacristán leproso
tiene sucia la barba,
raída la sotana,
curtida la badana,
reluciente la calva
y el semblante seboso.

Rosiña de San Balandrán,
mocita de aires reales
que pierde a los mozos cabales:
los mozos del Valle de An.
(Donde las toman, las dan,
e po'lo pan bail'o can.)

El marinero de la pata de palo
es un bigardo con ojos de malo,
hechuras de cuervo y andares de lobo.
Tenía un hermano que se murió bobo,
y un hijo adoptivo,
con pija de chivo
canijo,
cativo,
y comunicativo.

Cobiño
es un niño
que nació en Padrón.
Tiene viento en la sesera,
hace versos, y no espera
más que la navegación.

La sirena de la mar
(que aparecerá más tarde);
sólo sale para amar
a Cobiño, que Dios guarde.

El resto del personal
no habla ni bien ni mal.

* * *

Silba el búho en el ciprés
su compás de vals vienés,
malpocado,
y se escapa, acalorado,
un lagarto santiagués
que se llamaba Chartreuse.

* * *

Un tramoyista capón
corre, cauto, el cortinón
de la

REPRESENTACIÓN

ACTO PRIMERO

El sacristán

—¡En el nombre de Dios Padre, que a todos coja confesados, amén Jesús! ¡Ay, Cobiño, no te embarques, que te pierdes! ¡Que el cuerpo de los hombres es para los gusanos de la tierra, Cobiño, y no para los camarones de la mar! ¡Quédate sentado donde estás, Cobiño, que cuando Dios Nuestro Señor me llame, te he de dejar la plaza de sacristán! ¡Ay, Cobiño, no te vayas a la mar, que la mar está llena de sirenas y de serpientes que se comen a los cristianos! ¡Piensa en tu padre, Cobiño, que nunca quiso mirar el agua!

La moza

—Vete a la mar, si quieres, mala pécora, y devuélveme la leontina de oro que te regalé por tu santo, que no ha de faltar quien la quiera llevar en el chaleco. ¡Así te encuentren dentro de un tiburón, como a Jonás! ¡Vete a la mar, si quieres, y no me vuelvas a mirar a la cara, desgraciado, que lo que quieres es no trabajar!

El marinero

—¡Vete a la mar, muchacho, y no hagas caso de mujeres ni de sacristanes! Las sirenas son buenas para novias y con las serpientes se pueden hacer unas empanadas que parecen de lamprea. ¡Vete a la mar, rapaz, que en la tierra ya no hay oro más que para leontinas!

El rapaz padronés

—Me voy a la mar, Rosiña, y de la mar te he de traer una cama de coral...

La moza

—¡Un ataúd de coral!

El rapaz padronés

—... y un espejo con marco de nácar...

La moza

—¡No me he de mirar en él!

El rapaz padronés

—... y un peine de oro para peinar tus trenzas...

La moza

—¡Sin trenzas me he de ver, y calva me dirán!

El rapaz padronés

—... y un paraguas de tela de medusa...

La moza

—¡Ya no orvallará en el país, Cobiño, si tú te haces a la mar!

El rapaz padronés

—... y un tiburón manso, para que te haga recados...

La moza

—¡Ya no tendré recados que mandar!

El rapaz padronés

—... y una sirena lavandera, para que te lave las enaguas...

La moza

—¡No mientes la sirena!

El rapaz padronés

—... y otra sirena costurera, para que te cosa el corpiño...

La moza

—¡No mientes la sirena!

El rapaz padronés

—...y otra sirena planchadora, para que te planche la falda.

La moza

—¡¡No mientes la sirena!!

La moza se pone blanca, sus ojos miran contra el gobierno y un puñado de espuma se le para en la boca. A la moza le dio un patatús. Todos gritan y gesticulan. Entra en escena un boticario y le da a oler un frasquito de sales inglesas.

Acto II

El rapaz padronés

—¡Este bote hace agua, marinero!

El marinero

—Ya lo sé.

El rapaz padronés

—¡Con este bote no llegamos a las Américas!

El marinero

—Ya lo sé.

El rapaz padronés

—¡Con este bote nos ahogaremos en medio de la mar!

El marinero

—Te ahogarás tú, rapaz, que eres todo de carne: que yo floto con mi pata de palo y, como soy viejo para que me quieran en el reino de la mar, remando, remando, he de llegar a la orilla, donde mueren las fragatas y las ballenas, y allí me he de ganar la vida metiendo barcos en botellas y explicando la ciencia de la rosa de los vientos a los mareantes bisoños. ¡Te ahogarás tú, rapaz, que tienes buena edad para ahogarte! ¡Te ahogarás tú!

El rapaz padronés

—¡Yo no me quiero ahogar!

El marinero

—No grites, que nadie te ha de oír.

El rapaz padronés

—¿Las gaviotas son sordas?

El marinero

—Sí que lo son; sordas como las piedras.

El rapaz padronés

—¿Y los peces de la mar son sordos?

El marinero

—Sí que lo son; sordos como la arena de la playa.

El rapaz padronés

—¿Y las sirenas son sordas?

El marinero

—No mientes la sirena, muchacho; acuérdate de Rosiña de San Balandrán...

El bote embarca una ola cumplida y zozobra en medio de la mar. Los peces voladores saltan por encima de las olas. Las gaviotas graznan al pasar. A Cobiño se le mete el agua por los oídos. Ya está sordo. El marinero se desata la pata de palo y mira para el cielo, para orientarse. El viento silba sobre la mar. Cobiño no lo oye. A Cobiño se le mete el agua por los ojos. Ya está ciego. Una sirena le tira de los pies. Cobiño siente un suave bienestar...

La sirena vive en el casco de un viejo galeón hundido. Come con la vajilla de oro del comandante y, cuando está aburrida, toca en el piano de la cámara *Para Elisa,* de Beethoven.

ACTO III

La sirena

—¿Cómo te llamas?

El rapaz padronés

—Me llamo Cobiño de Lestrove.

La sirena

—¿Y de dónde eres?

El rapaz padronés

—Le soy de Padrón, allá donde apareció el cuerpo del Apóstol.

La sirena

—Ya. No me trates de usted; vamos a tutearnos.

El rapaz padronés

—Gracias.

La sirena se peina sus trenzas con un peine de oro ante un espejo con marco de nácar. En un ángulo se ve la cama de la sirena, una cama de coral. Al lado de la cama, para cuando llueve, está el paraguas de la sirena, todo de tela de medusa. La sirena tiene a su servicio un tiburón manso, para hacerle recados, y tres marineros chinos: un marinero chino que le lava la ropa, otro marinero chino que se la cose, y el tercer marinero chino para se la planchar con el buen arte del almidón.

La sirena

—Cobiño, ¿te quieres casar conmigo?

TELÓN

—¿Y fueron felices?
—Ya lo creo. ¡La mar de felices!
—¿Y tuvieron hijos?
—Ya lo creo. ¡La mar de hijos!
—¿Y cómo eran los rapaces?
—Pues le eran muy guapitos. ¡La mar de guapitos!

Tercera parte

Homenaje a Descartes

A mi amigo don Marcial Vilaboa, filósofo lucen-
se autor de la teoría purgativa cuya clave duerme
en la fórmula:

$$E = \frac{mc^2}{\sqrt{a}}$$

(la energía, medida en ergs, es igual al producto de
la masa, medida en gramos, por el cuadrado de la
velocidad de la luz, medida en centímetros por
segundo, y partido por la raíz cuadrada de las
ánimas del purgatorio, medidas en esquemas puros
de cantidades).

UN CUENTO A LA ANTIGUA USANZA

> ... llenaban mi memoria, la que acuña
> los pasos venturosos e infelices...
>
> UNAMUNO.

Esta extraña historia me la contó, hace ya muchos años, un viejo narrador celta y cornwallés, de luenga barba, pintoresco parlar, raro atavío y mirada tan clara como el corazón de un pescador, que acompañó a mi abuelo como criado y apañatundas durante mucho tiempo y que cuidó, como un perro entrañable, mis largas, mis temerosas noches infantiles, allá en el país donde las meigas se hacen dueñas de la oscuridad, los trasgos juegan al naipe en la campana de la chimenea, y las ánimas en pena vagan por las praderas y los robledales o entre los juncos del río y los maíces altos como los mozos a quien toca ya servir al rey: por los mismos sitios que eligen, para enlazarse del talle, los enamorados, las tardes de domingo.

Mi amigo, que era algo supersticioso, le preguntó un día al abuelo:

—Mi señor don Johniño, ¿me enterrará?

Y el abuelo, haciendo un alto en la poda del rosal, le respondió:

—No te preocupes, Jeremías; si te portas bien hasta la muerte, te enterraré.

—¿Y si me porto mal, mi señor don Johniño?

El abuelo tardó un instante en contestar.

—Si te portas mal, también, pero no te pagaré una sepultura perpetua.

Jeremías Rosslare, aunque vivió muchos años y se murió tan viejo como una ballena, no se portó nunca mal y se fue tranquilo para el otro mundo. Para el hombre, quedarse abandonado en un camino o al pie de una fuente, como una golondrina muerta, era un motivo grave de preocupación y de tristeza.

Jeremías Rosslare fue un amigo cuyo recuerdo aún me emociona. Él me dio a beber su sangre para que recobrase las fuerzas cuando, a los ocho años de edad, tuve el primer ataque de histeria; él me dio a fumar de su cigarro para que me prosperase con salud el bigote cuando, a los doce años de edad, tuve los primeros granos; él me empezó a tratar de usted a los catorce años cuando mis padres, que estaban en todo, toma-

219

ron la decisión de hacerme el primer traje de pantalón largo. Son tres cosas estas que procuraré no olvidar jamás.

Jeremías, que sabía contar muchos cuentos, narraba sus fábulas con una seriedad tremenda y tanto gozaba, que lejos de decir, como todo el mundo: ... y entonces Pat, que se veía acorralado, desenvainó el machete y cayó como un rayo sobre sus enemigos..., gustaba de explicar como para darle más emoción: ... y entonces Pat, que se ve acorralado, desenvaina el machete y cae como un rayo sobre sus enemigos que huyen a la desbandada dejando sobre la arena de la playa todo el rico botín de sus peligrosas correrías por los cinco mares. A veces, como en este cuento, Jeremías hablaba como las demás personas.

Después de todo, en esto de contar cuentos, cada cual hace lo que le da la gana.

Lo que recuerdo de esta historia de Jeremías Rosslare, es como sigue.

I

En el nombre del Padre, del Hijo y del Espíritu Santo. Amén.
En el nombre de San Ciprián y de parte de Dios, tres veces santo.
Padre Nuestro, Ave María, Ave María, Ave María, Gloria Patri.
Escucha mi señorito, este cuento verdadero que tiene por nombre

MARGARITA SIN SOL, LA MESONERA
DE EL MIRLO DE LOZA

I

Había una vez, hace ya muchos años, en los tiempos de Ricardo Corazón de León, una mesonera muy bella que se llamaba Margarita Sin Sol.

Margarita Sin Sol era hija única de una mujer vieja y rica que se llamaba la señora doña Virginia, la de El mirlo de loza. La madre y la hija vivían en un pueblecito de la costa del Cornwalles que se llama Truro y tenían una posada con las siete cosas que marcaba la ley:

Un gallo que cantaba a las mañanas.
Un puerco en sal para nutrir al navegante.
Un barril de cerveza con la espita de boj.
Doce docenas de mantas de lana.

Un mapa de la costa pintado con los tres colores.

Un bote para hacerse a la mar, si Dios lo mandaba.

Y un mirlo de loza puesto encima de la puerta.

La señora vieja murió cuando la hija tenía doscientas lunas recién contadas, una noche que se la llevó el viento marino cogida de la saya. Fue una noche terrible en que la mar se tragó tres marineros, trece viejas y veintitrés doncellas lindas como veintitrés burbujas de jabón. Aquel día, el mirlo de loza y veintitrés novios del puerto se vistieron de luto; los mozos se fueron con el rey a la Tercera Cruzada y allí murieron, unos bajo las alfanjes de Saladino y otros de tristeza al enterarse por un comerciante mallorquín de la traición de Juan Sin Tierra; pero el mirlo de loza, tintado con tinta de humo de sándalo, aún puede verse en Truro, dormido en su tragaluz.

Es una historia para que Dios nos coja confesados, la historia del mirlo de loza que no puede romperse y la historia de Margarita Sin Sol, que no puede morir aunque tiene más años ya que Lamech, casi tantos como Malaleel y tan sólo un siglo y medio menos que Matusalén, que no llegó a los mil años porque se murió seis lustros antes.

Cuentan las crónicas escritas por los caballeros notarios que Margarita Sin Sol, cuando murió su madre, mandó llamar a su novio para decirle:

—Amado mío, el diablo me ha dejado sin madre, y padre nunca lo conocí. Sola no quiero dormir ni una noche porque no está bien que una posada la rija una doncella; tuya es mi mano, tuyo mi corazón, tuyo todo mi cuerpo. Toma todo lo que te ofrezco.

El novio le respondió:

—Amada mía, mi padre está lejos de la isla y mi madre no la llegué a conocer. Es ley que el padre nos bendiga antes de que nos bendiga Dios. Yo te compro la posada en todo lo que tengo, que es cien veces lo que vale, y tú te vas a la abadía de las monjas negras de Saint-Ives a rezar para que el padre vuelva con los buenos vientos.

Margarita Sin Sol, entonces, empezó a perder la color blanca por la color verde y con una voz ronca dijo:

—Pues si he de esperar, hágase en nombre del diablo.

Y una mosca que andaba volando por allí, se le coló por la boca y no la pudo expulsar.

Margarita Sin Sol cayó desmayada y cuando se despertó sus ojos no conocían, su boca no pronunciaba sino blasfemias, sus manos temblaban y su semblante había cobrado una belleza extraña, como de hombre.

El novio, asustado, hizo la señal de la cruz y un humo denso se corrió por toda la habitación. Salió a la calle, a que el viento le diera en la cara, y una voz le dijo al oído:

—Margarita Sin Sol está poseída del enemigo malo; reza, sé humilde y haz penitencia.

Y aún más bajo le susurró:

—Pásate una noche en las ruinas del castillo de Zoze, donde duerme Satanás, y mándale por Dios Padre, Hijo y Espíritu Santo, que te devuelva a Margarita Sin Sol sin daño y sin pecado. Lleva contigo un rosario, un mastín lobero y un cuerno de posta.

Y el trasabuelo del tatarabuelo del bisabuelo de tu abuelo, mi señorito, tomó lo que le mandaron y se puso a andar y a andar por el camino de las ruinas del castillo de Zoze.

II

Las ruinas del castillo de Zoze tenían forma de calavera de caballo. Cuando el señor don Peter llegó ante el pórtico sin puerta del castillo, estaba anocheciendo. Ató el mastín con la cadena, se colgó el rosario del cuello, se santiguó y cruzó el umbral. Una sabandija negra se metió por entre dos piedras, un murciélago voló despavorido y una nubecita negra, del tamaño de una arroba de paja, trataba de cerrarle el paso.

—Apártate de aquí.

—No quiero.

—¡Apártate, en nombre de Dios!

—¡Calla!

La nubecita se rompió y se presentó una joven muy bella, pero que olía muy mal.

—¿A qué vienes a Zoze?

—A darte la batalla.

Por las ruinas retumbó una carcajada y la joven desapareció. El señor don Peter siguió avanzando y miró para el perro, que no daba señal alguna de estar sobresaltado. Subió las escaleras, buscó un rincón donde pasar la noche y encendió una hoguera. Cuando las llamas alumbraron lo bastante, pudo ver que en el suelo, atada con unas gruesas cuerdas, Margarita Sin Sol estaba como muerta.

El señor don Peter se levantó.

—Margarita Sin Sol, vente conmigo.

Nadie le respondió.

—Margarita Sin Sol, vente conmigo.

La hoguera se fue consumiendo y se apagó en menos que canta un gallo. En la oscuridad sólo brillaban los dos ojos del perro y los dos ojos de Margarita Sin Sol.

—Margarita Sin Sol, vente conmigo.

Una voz muy lejana le contestó:

—Ven a buscarme.

El señor don Peter echó a andar, pero nunca se acercaba a Margarita Sin Sol. El perro gruñó un poco y los pelos del espinazo se le erizaron. Por una amplia grieta del muro se oía una voz que venía de la mar, entre el silbar del viento:

—Hijo mío, invoca el nombre de Dios...

III

Cuando el día vino, el señor don Peter tenía los cabellos blancos como la plata. En el castillo de Zoze había entrado, la noche anterior, con los cabellos dorados como el oro. El mastín lobero estaba a su lado, muerto, con la lengua fuera y un extraño y profundo doble pinchazo en la garganta. Margarita Sin Sol había desaparecido y en el lugar que ocupara, estaban las cuerdas que la tuvieron sujeta y que se deshicieron en polvo cuando el trasabuelo del tatarabuelo del bisabuelo de tu abuelo, mi señorito, quiso tocarlas.

El señor don Peter quiso andar, pero vio que sus piernas no le obedecían; quiso gritar, pero vio que por su garganta no pasaba el aire; quiso hablar, pero vio que su lengua estaba paralítica.

Un hombrecillo desmedrado se le presentó:

—Yo soy un criado de Satanás. Soy el guardián de Margarita Sin Sol. Si me vendes tu alma, tus piernas andarán, tu garganta gritará, tu lengua te servirá para hablar, y Margarita Sin Sol volverá a tu lado.

Cuando el hombrecillo pronunció sus últimas palabras, el señor don Peter vio que salía del suelo, como una fantasma, el cuerpo de Margarita Sin Sol. Sus cabellos eran dorados y sedosos, como siempre lo fueran; su nariz, recta y dibujada; su boca, carnosilla; sus senos, pujantes; su estatura, cumplida. La Margarita Sin Sol que se presentaba era igual en casi todo a la Margarita Sin Sol de siempre; sólo la color se le hacía más triste al señor don Peter, y sólo en los ojos había notado como un brillar extraño que antes no conociera.

—Te devuelvo la palabra durante el tiempo que quiera devolvértela —dijo el criado del diablo— para que puedas hablar con Margarita Sin Sol.

El señor don Peter notó que la lengua se le despegaba del paladar.

—¿Eres tú, Margarita Sin Sol?

—Sí, yo soy.

—¿Estás bien, Margarita Sin Sol?

—No; estoy ardiendo en los infiernos y ya nunca más podré dejar de arder. Llamé a Satanás y Satanás me llevó.

El señor don Peter quiso avanzar, pero sus piernas seguían sin obedecerle. El hombrecillo, mientras tanto, se reía.

—¡Déjame andar!

—¿Y qué me das?

—Pide.

—Dame tu alma.

—No puedo dártela, que mi alma es de Dios.

Margarita Sin Sol y el hombrecillo rugieron al mismo tiempo:

—¡Calla!

Se oyó un ruido intenso, saltó la chispa, voló la nube negra y Margarita Sin Sol y su guardián desaparecieron.

El señor don Peter se descolgó el rosario del cuello y con él en la mano salió del castillo de Zoze, que tenía forma de calavera de caballo.

IV

Cuando llegó al campo abierto, el trasabuelo del tatarabuelo del bisabuelo de tu abuelo, mi señorito, sopló en su cuerno de posta con toda la fuerza de su pecho.

Un cazador que andaba cazando becadas por allí, le dijo:

—¿A quién llamáis, hombre de raro aspecto, con ese viejo y destemplado cuerno?

El señor don Peter quedó sorprendido de la pregunta.

—¿Quién sois, hombre extraño e insolente, que así me preguntáis?

—¿Que quién soy, decís?

—Eso digo.

—¿Y no me conocéis?

—No, por cierto.

—¿Sois extranjero?

—Extranjero lo sería fuera de mi país. Soy de Truro, como todos los míos.

—¿Quién es vuestro padre?

—Peter, el armador.

—No lo conozco. ¿Sois casado?

—No, para mi desgracia, que a mi amada la posee el diablo.

—¿Qué decís?

—Lo que escucháis.

—¿Quién es vuestra amada?

—Margarita Sin Sol.

El cazador soltó una carcajada.

—¡Ja, ja, ja! ¿Entonces, vos sois el caballero don Peter, el hombre que según dicen fue a buscar a su novia al castillo de Zoze?

—El mismo soy.

—Y decidme, buen hombre, ¿qué tal sigue el castillo de Zoze?

El señor don Peter se volvió para decirle al osado cazador: ahí lo tenéis, ved por vuestros propios ojos qué tal sigue..., pero detrás de él sólo estaba la brava mar rompiendo su espuma sobre el acantilado.

El señor don Peter tuvo miedo por primera vez en su vida.

—Decidme, caballero, ¿sois el diablo?

—No lo soy.

—¿Puedo hablaros en nombre de Dios y puedo haceros la señal de la cruz?

—Podéis hacerlo, cristiano soy.

—¿Me ayudaréis entonces?

—¿A qué?

—A recordar...

V

—Veréis. Hace ya muchos años, en tiempos de Ricardo Corazón de León, había una mesonera muy bella que se llamaba Margarita Sin Sol.

—Seguid.

—Margarita Sin Sol era hija única de una mujer vieja y rica que se llamaba la señora doña Virginia, la de El mirlo de loza.

—Seguid.

—Cuando la señora doña Virginia, la de El mirlo de loza, se murió, Margarita Sin Sol llamó a su novio porque quería casarse con él.

—Seguid. ¿Qué le dijo su novio?

El cazador miró a los ojos al señor don Peter.

—¿No lo sabéis?

El señor don Peter bajó la vista.

—Sí; no me lo repitáis. ¿Sabéis qué ha sido del mirlo de loza?

—Sí; el mirlo de loza sigue dormido en su tragaluz...

—¿Cómo entonces?

El cazador fingió no haber oído.

—... Es fama, como quizá sepáis, que no puede romperse nunca y el alcalde de Truro, que es respetuoso con la tradición, ha ordenado que lo defienda una reja para evitar que una pedrada rompiera la leyenda.

—Seguid.

—Preguntadme vos, no creo recordar más.

VI

El señor don Peter, en Truro, vivió en casa del cazador. No veía a nadie y se pasaba las horas muertas mirando para la mar, donde un buen día, un luminoso día del mes de julio del año..., vio levantarse una columna de humo.

El señor don Peter se apartó de la ventana y llamó a su amigo el cazador.

—¡Corred, corred! ¡Está ardiendo la mar!

El cazador se presentó presuroso.

—¿Ardiendo la mar?

—Sí, mirad aquella columna de humo.

El cazador respondió con un hilo de voz, tímidamente.

—Amigo mío... Se trata, os ruego que no os molestéis, se trata del invento de nuestro compatriota el señor Stevenson... Nosotros le llamamos el vapor.

—¿El vapor?

—Sí, exactamente.

—Y, ¿de dónde viene el vapor?

—Pues... Ese que veis viene de América.

—¿América?

—Sí, un mundo nuevo.

El señor don Peter se estremeció y sintió miedo por segunda vez en su vida.

—Oídme, cazador, ¿no sois el diablo?

—No lo soy.

—¿Puedo, entonces, hablaros en nombre de Dios y haceros la señal de la cruz?

Ah! ce que j'entends, serait-ce la bise nocturne qui glapit, ou le pendu que pousse un soupir sur la fourche patibulaire?

Un hombre marcha, a solas con su miedo, por el campo. Es alto, desgarbado, enflaquecido. Lleva un triste sombrero calado hasta los ojos y una larga bufanda que se le enrosca alrededor del cuello como una maliciosa serpiente en torno al cuerpo de una muchacha.

Anda de prisa, casi espantadamente, sin pararse a mirar dónde pone el pie.

Quizá se encuentre a sí mismo culpable de algún grave pecado. Quizá sea el hombre torvo que presta dinero a los poetas, el hombre airado que fabrica los abortivos, el hombre frenético que come golondrinas, el hombre iracundo que chupa la sangre a los niños.

Es de noche y el aire frío corta su jadeante respirar.

Va duramente inclinado hacia el suelo, oculto el rostro a la pálida y breve luna que de vez en vez se deja contemplar sobre las nubes.

Tiene todo el aspecto de llevar ya muchas horas caminando. Nada distrae su paso de vagabundo decidido, su andar huidizo de hombre que lleva una brújula rota dentro del corazón.

Un extraño rumor cruza la noche. Viene oyéndose ya desde hace tiempo, tan distante como confuso, tan tenue como vagaroso.

El hombre que pisa los sembrados y los tiernos brotes de las vides que la noche oculta, hace ligeros, raros movimientos con la cabeza.

Aún no ha oído nada. Aún están informes, repentinos, colgados de las quejosas ramas, los rumores.

Y unos pasos más allá...

—¿Qué es eso?

El hombre duda, hace un alto en su marcha.

—¡Ah! ¿Qué es eso? ¿Qué oigo?

Al hombre le tiembla la voz en la garganta. Siempre fue tenido por un hombre valeroso, por un hombre sin miedo.

El rumor se hace distinto, se aclara su voz de misterio.

—¿Será que aúlla el cierzo de la noche?

La luna rasga, un breve instante, su lecho de nubes, y se descubren, de pronto, raras figuraciones.

—¿Será el último suspiro de un hombre en la horca?

Serait-ce quelque grillon qui chante tapi dans la mousse et le lierre stérile dont par pitié se chausse le bois?

Pero el campo parece muerto, frío, deshabitado. El campo desvelado como un pecho desierto, estéril como los ojos de la sangre, sobrecogedor.

Hay ruinas por las que sopla cruelmente el viento, a quienes la noche hace sonar a veces como tímidas flautas u ocarinas lejanas: con dulzura, casi cadenciosamente.

El ciego lagarto que colecciona bucles de muchacha se refugia estremecido bajo el musgoso plinto, y el murciélago volador que dibuja difíciles geometrías, roza con el aliento todos los capiteles.

Un instante tan sólo, esto piensa el hombre torvo —quizás el duro corazón que presta dinero a los poetas—, el hombre airado —que fabrica los abortivos para sonreír—, el hombre frenético —que derriba golondrinas con la mirada—, el hombre iracundo —quizá las fauces aún rojas de sangre— que cruza el campo con miedo y con remordimiento como todos cruzamos, con la mirada baja y vergonzosa, cuando nos vigila esa mano próxima a ser robada y que nos dice adiós, inciertamente, desde la popa del buque que se aleja.

Pero hay musgosas sendas que transforman la roca en almohada, y piadosas y estériles hiedras que arropan al bosque como a un inmenso cachorro recién nacido.

El hombre ofrece largos años de vida al familiar diablejo que soborna las brumas; pero el ulular remoto, como de loba parida, que entreoye su imaginación, sigue arrastrándose sobre el lejano horizonte.

El silencio de la noche toma ruidoso cuerpo de insecto enloquecido.

—¿Será el canto de un grillo oculto bajo el musgo, bajo la hiedra estéril que, piadosamente, vive sobre el bosque?

Serait-ce quelque mouche en chasse sonnant du cor autour de ces oreilles sourdes à la fanfare des hallali?

Suena la tierra como un dragón en guerra con todos los dragones sobre la más ligera arena de las playas marinas.

El hombre que tropieza y se levanta como una estrella escapada, antes de la creación, por el ámbito que todavía no fue el universo, siente estallar su pulso apresurado por la vena que nutre al corazón.

Veloces, tiernos ciervos adolescentes cruzan en tropel por la ciudad dormida, adormecida.

El océano adonde afluyen, como inocentes ríos, todas las maldiciones, amenaza con anegar las cumbres de las altas montañas —aquellas donde el aire es aún piedra por última vez— desde las que un Noé, piloto de un globo cautivo, mira tristemente para la cuerda cuyo último extremo sumergido delata aquella cálida tierra que, una vez más, se hundió.

La libélula que vendrá volando desde los lejanos astros cuando sea llegada la hora en que todos los niños tengan que morirse en cariñosas posturas de gacela que va a ser madre por primera vez, comenzó a rondar sobre la abrumada cabeza del hombre que mira para la senda que no ve, olvidado de la misericordia.

El rumor sigue viviendo como un dolor clavado dentro del corazón, y el hombre busca con sus difusos dedos ateridos cuál puede ser el último, levísimo calor que de sus carnes se desprenda.

—¿Será algún moscardón cazador que con su trompa toque sones de caza alrededor de esos oídos ya sordos?

Pero... ¿De qué sordos oídos?

Serait-ce quelque escargot qui cueille en son vol inégal un cheveu sanglant à son crâne chauve? Ou bien serait-ce quelques araignées qui brodent une demiaune de mousseline pour cravate à ce col étranglé?

Un cráneo pelado de cuyo sanguinolento cabello pende un escarabajo.

Esa fue la maldad que se castiga.

Una nube de arañas hilanderas trabaja sin descanso en la mortaja.

> *Why write I still all one, ever the same,*
> *And keep invention in a noted weed,*
> *That every word doth almost tell my name,*
> *Showing their birth, and where they did proceed?*

¿Será que todas las furias de todas las cavernas...?

¿Será que todos los animales venenosos de los dos planetas que quedan más allá de la órbita de Saturno...?

¿Será que esas yerbas de delicados y armoniosos colores que diezman los sembrados...?

¿Será ese niño que juega con las reliquias de sus antepasados...?
¿Será ese escarabajo gimnasta...?
¿Será la araña que teje corbatas de muselina...?
No. El hombre llega a tocar la muerte con las manos.

La luna rasga, un breve instante, su lecho de nubes, y se descubren, de pronto, concretas, extrañas evidencias.

Una campana, en los muros de una lejana ciudad que el alba descubre allá en el horizonte, tañe quejumbrosamente al viento. Y los huesos de un ahorcado enrojecen, casi soberbios, a cada puesta de sol.

Este cuento lo escribí tras haber oído *Le gibet,* de Ravel, interpretado al piano por Luis Galve, una lluviosa tarde de otoño del año 1943, en su casa de la calle de Serrano, de Madrid, y ante media docena de amigos.

CUANDO TODAVÍA NO ERA PESCADOR

Esta fábula va dedicada al número 44

Le doy todos mis bienes a Mariona y me marcho, como un vagabundo, hasta el fin de la ciudad, hasta el sitio donde ya las hierbas comienzan a brotar entre los guijarros de la calle y los niños se asemejan a tiernas bestezuelas abandonadas.

Me siento en el suelo y espero a que llegue la noche, con su delicada oscuridad, que finge como un beso con los ojos entornados y que nos deja sentir, cautelosamente, cómo nace el sueño en nuestro corazón, que ha crecido solitario durante años.

Silbo, por lo bajo, el vals que me trae el pensamiento de Mariona y la veo, joven aún, cuando era amada por toda la ciudad que hoy la olvidó y vestía hermosas ropas de seda ceñidas a su cuerpo gracioso como una linda corza.

Aquellos eran los buenos tiempos, ya lejanos, en que yo estudiaba filosofía y conspiraba contra el benigno rey que siempre nos perdonó con una sonrisa, mientras ella, escandalosamente, nos enseñaba el tobillo desde el alto escenario abierto, como un paraíso, a todas las tentaciones.

Me gastaba todo el dinero en flores y le escribía a diario largas cartas de amor para inspirarle una compasión que jamás llegó a sentir, porque vivía rodeada de aquellos sabios lujos que alejan la tristeza de nuestras almas para abrir, alborozados, su balcón.

Jamás me contestó, y su desvío fue trazando en mi alma esa brecha tremenda por la que, aun hasta hace bien poco, se podía escuchar el rugido del océano tormentoso que llegué a dejar latir en mis entrañas, como deja su sueño una traición.

Pedí permiso para rebelarme y Dios me tocó el corazón para decirme: hijo, ve al campo y cuida el ganado de tu padre, las tierras que heredó tu madre, las florecillas que se comen los becerros ante el llanto exagerado de tus hermanos pequeños.

Entonces, Dios mío —le pregunté de rodillas—, ¿debo abandonar mis estudios superiores; debo dejar la ciudad donde me hice hombre; debo olvidar a mis amigos y a sus novias peluditas y tornasoladas como melocotones; debo sacrificar mi amor a Mariona, a quien tanto quiero?

Dios no me respondió ya más —y su voz volvió a perderse entre las nubes lejanas—; pero yo entendí claro, como la luz del día, que una pena ejemplar caería sobre mi cabeza como castigo a la desobediencia de su paternal y cariñoso mandato.

Me vendé los ojos y pedí amparo y protección a las impacientes brujas del suave monte Meda, defendido por los hombres y las mujeres que un vicio convirtió en cardos espinosos o un pecado transformó en zarzales heridores o en silencioso y húmedo musgo.

La más fea bruja me visitó aquella noche para ofrecerme el amor de Mariona, cuando nadie la quisiera ya, y tuviese los dientes comidos por los años, los cabellos grises por la tristeza y los ojos apagados de haber llorado tantas veces en vano.

Acepto —le dije— a la hermosa Mariona cuando llegue a ser un ruinoso montón de desencantos y nadie quiera mirarle al rostro; ¿qué me pides tú a cambio de tan lejana felicidad como me ofreces? Tu memoria —me dijo—, que voy a guardar ahora.

¿En dónde? —le pregunté—. En el cofre donde guardo las memorias de los amantes que todo lo llegan a olvidar. No quiero —le respondí—; pídeme otra cosa; más doliente, si así lo deseas, pero menos cruel que llevarme a olvidar mi plácida lenta agonía.

La bruja huyó también sin responder y me encontré solo como nunca, abrazado a mi indecisión, triste para mi espíritu, huraño para mis amigos y turbio como un valle neblinoso para el cariño de Mariona, que cada vez se me imaginaba más lejanamente traidora.

Haciendo firmes propósitos de santidad, vi cómo el tiempo implacable plateaba mis sienes y las de Mariona, comía mis dientes y los de Mariona, apagaba mis ojos y los de Mariona, que ya no eran brilladores luceros de la noche, como en otros tiempos.

Pensé en el campo, y en los ganados, y en la dorada mies, y en los pájaros cantores, y en las truchas y salmones que alegremente remontan el curso de los ríos, y en los insectos que devoran los viñedos, y en los molinos.

Y me decía: aún puedes ir a la conquista de bellas cosas, tan bellas incluso como Mariona. Y me respondía: no; es inútil; yo para siempre jamás seguiré en la ciudad, uncido a aquella gloria que ya las gentes se obstinan en no recordar.

Y vi reflejados en los escaparates de las joyerías mi famélica faz, mi desflecado sombrero, mi roto pantalón, mi sucia y rugosa americana, el viejo cuello de mi camisa descolorida ya como una mendiga parturienta, mis zapatos deslustrados iguales a un campo sin agua.

Y, llorando, pedí de nuevo protección a los cielos: Señor, os he ofendido, he dudado de vuestra misericordia sin límite, he querido lo vanamente imposible, aquello a que no renuncio, pero que nunca más volveré a perseguir: dicha sin horizontes para mi encerrado corazón.

Quise regresar a los rincones por donde discurrió mi infancia de bucólico tañedor de ocarina y regalé todos mis bienes a Mariona, que arrastraba muchos más desencantos que años; que peinaba, mañana a mañana, menos canas que decepciones, más canas que recortadas pretéritas dichas.

Y así lo hice y se los envié, bien guardados en una caja, por una vieja celestina, quien me sonrió, como mi cómplice, siendo mi verdugo: mi pipa, mi encendedor, mi libro de versos, mis dos pañuelos, mis últimas siete monedas relucientes y hermosas.

Hago mi testamento, sentado en el suelo, cuando ya la noche llega con su oscuridad, ya sabéis, y los niños duermen hacinados como constelaciones, y las briznas de yerba que nacen entre los guijarros se aman silenciosamente buscando sus cálidos tactos como fieles enamorados.

* * *

Cuando todavía no era pescador, me sucedían extrañas y preocupadoras aventuras.

Era yo joven y fantasioso entonces, cuando todavía no era pescador.

Y las mujeres, cuando todavía no era pescador, me miraban despreciativamente.

Y es que sucedían las cosas como tenían que suceder..., entonces.

Cuando todavía no pensaba en ser pescador.

UN NIÑO COMO UNA AMAPOLA

Esta fábula va dedicada al número 31

I

Yo he visto un día un niño rojo como una amapola que dormía, atrozmente humillado, en ese abierto corazón de un árbol, tierno como los panes que lloran en manos femeninas.

(¡Ay, Señor! ¿Por qué? ¿Por qué estas manos han de rasgar mi cuerpo: monte de fuerza hendido por mil cuchillos? ¿Por qué no he de volver —bella espiga— a la tierra?)

Y cuando los ladrones del alba corrían hacia sus cuevas cargados con todas las miradas que se perdieron en la noche, el niño, sobresaltado, se asía con ambas manos al silencio.

(¡Ay, Señor! ¿Por qué? ¿Por qué estas manos que crujen al detener el silencio: monte descabalgado por cien mil caballos? ¿Por qué no he de sentir —breve capullo— mi solo palpitar?)

Tiemblan los astros en la altura igual a soldados muertos recién interrumpidos en su silencio, y un aire cruza sobre todas las tumbas golpeando siniestramente las manos encerradas ya sin remedio.

(¡Ay, Señor! ¿Por qué estas manos sin aire que las arome: monte de viento donde baten mil ángeles sus alas? ¿Por qué no ha de volar —concreta, pluma— tu cariñoso anhelo?)

II

El niño se hizo mozo y —rey de malditos y de hambrientos— vagó por los campos, cruzó los ríos de las llanuras y espantó atroces, tímidos pajaritos tan sólo con mirarlos.

(¡Ay, Señor! ¿Por qué? ¿Por qué me huyen los silbadores habitantes del cielo: mar de bendiciones? ¿Por qué hienden mis ojos negros y brilladores, ahogados de congoja como una novia reciente?)

Cuando la primavera silbaba en la corola de las flores más extra-
ñas, el aire parecía como enturbiarse al paso del muchacho que lleva-
ba los ojos vendados para no herir a nadie.

(¡Ay, Señor! ¿Por qué? ¿Por qué esa monstruosa gallina ciega que
me fuerza a ser malo: mar de odios viejos, en mí que soy aún joven como
vos mismo? ¿Por qué?)

Y cuando las muchachas, agraces como manzanas, deshojaban el
sí, no, no, sí, de las margaritas del amor, las nubes, detenidas sobre el
húmedo campo, pensaban más que nunca su deserción.

(¡Ay, Señor! ¿Por qué? ¿Por qué ser maldecido de los bosques del
aire: mar sencillo, tímido espejo, nítida fuente? ¿Por qué tener que huir
a la raíz del turbio, malévolo pensamiento?)

III

Hombre llegó a hacerse el mozo, y yo lo vi bebiendo en bocas de muje-
res muertas el dulce y abyecto anís de la confidencia, el amargo ajenjo
tembloroso y recién ordeñado.

(¡Ay, Señor! ¿Por qué no saciar mi sed ardorosa en la clara fuente
donde la madreselva se mira, tan tierna; donde bebe la virgen golondrina
que va de paso, sin detenerse?)

Tocó el violín despiadadamente, y durmió largas noches enteras sobre
el diván del café de barrio donde la pensionista busca su descansar y
el viejo fauno del arrabal convalece su embriaguez.

(¡Ay, Señor! ¿Por qué? ¿Por qué no permites a mis carnes dolientes,
martirizadas, un reposo de limpio animal cansado; de avutarda herida
que halla el cañaveral; de perra parida? ¿Por qué?)

Y vagó con lentas, con inconcretas poesías por todas las redaccio-
nes, por las editoriales todas, que se le cerraban como fieros cepos apri-
sionando en sus garfios jirones de su mal espíritu.

(¡Ay, Señor! ¿Por qué? ¿Por qué ese mal poeta del sentimiento bueno que arrastro dentro de mí? ¿Por qué la luz se nubla, el calor se enfría,
el sol se apaga?)

IV

El hombre se hizo viejo, y un día, desde el abierto corazón del árbol donde se refugió, vio un niño, rojo como una amapola, que andaba a tientas: un niño ciego.

(¡Ay, Señor! ¿Por qué? ¿Por qué ese trozo de carne cruel que me persigue como una sombra hasta este ataúd vivo: nicho con savia aún, mas sin latido en la vena?)

Llegaron los cautelosos robadores de las sombras nocturnas, que pasaban camino de la gran ciudad con su paso indefinido de conspiradores acobardados, y el anciano lloró lejanos, imprecisos, tenues, vagarosos recuerdos.

(¡Ay, Señor! ¿Por qué? ¿Por qué haces pasar ante mí viejas memorias no muy precisas, tan sólo presentidas? ¿Por qué esos torvos hombres caminan sin recelo, si son pecadores, alimañas venenosas?)

Golpean el firmamento las estrellas con su lamentarse; al aullido del lobo responde la gacela con su balar; canta el ruiseñor para el hurón; la mariposa vuela para el escarabajo pelotero...

(¡Ay, Señor! ¿Por qué? ¿Por qué? ¿Qué sucede? ¿Quién torció la aguja magnética de la fiel máquina que marca los destinos? ¿Qué nube se posó sobre la mirada del ángel bienhechor?)

* * *

Un coro de ángeles vela el cadáver del hombre que, de niño, fue rojo como una amapola. Suenan en el cielo lejano treinta y un truenos, mientras, lentamente, cae el

TELÓN.

Cuarta parte
Homenaje a Nicomedes Pastor Díaz

A los niños que navegan, heroicos, dolorosos y ciegos, por su propia memoria.

Y a los muertos que cruzan, estoicos, doloridos y mudos, por la memoria de los demás.

Da gusto estar metido en la cama, cuando ya es de día. Las rendijas del balcón brillan como si fueran de plata, de fría plata, tan fría como el hierro de la verja o como el chorro del grifo, pero en la cama se está caliente, todo muy tapado, a veces hasta la cabeza también. En la habitación hay ya un poco de luz y las cosas se ven bien, con todo detalle, mejor aún que a pleno día, porque la vista está acostumbrada a la penumbra, que es igual todas las mañanas, durante media hora; la ropa está doblada sobre el respaldo de la silla; la cartera —con los libros, la regla y la aplastada cajita de cigarrillos donde se guardan los lápices, las plumas y la goma de borrar— está colgada de los dos palitos que salen de encima de la silla, como si fueran dos hombros; el abrigo está echado a los pies de la cama, bien estirado, para taparle a uno mejor. Las mangas del abrigo adoptan caprichosas posturas y, a veces, parecen los brazos de un fantasma muerto encima de la cama, de un fantasma a quien hubiera matado la luz del día al sorprenderle, distraído, mirando para nuestro sueño... Se ve también el vaso de agua que queda siempre sobre la mesa de noche, por si me despierto; es alto y está sobre un platito que tiene dibujos azules; en el fondo se ve como un dedo de azúcar que ha perdido ya casi todo su blanco color. Si se le agita, el azúcar empieza a subir como si no pesase, como si le atrajese un imán... Entonces, uno ladea la cabeza, para verlo mejor, y del borde del vaso sale un destello con todos los colores del arco iris que brilla, unas veces más, otras veces menos, como si fuera un faro; es el mismo todas las mañanas, pero yo no me canso nunca de mirarlo. Si un pintor pintase un vaso con agua hasta la mitad y un reflejo redondo en el borde con todos los colores, un reflejo que pareciese una luz y que saliese del cristal como si realmente fuera algo que pudiésemos coger con la mano, estoy seguro de que nadie le creería.

Volvemos a dejar caer la cabeza sobre la almohada y tiramos del abrigo hacia arriba; notamos fresco en los pies, pero no nos apura, ya sabemos lo que es; sacamos un pie por abajo y nos ponemos a mirar para él. Es gracioso pensar en los pies; los pies son feos y mirándolos detenidamente tienen una forma tan rara que no se parecen a nada; miro para el dedo gordo, pienso en él y lo muevo; miro entonces para el de al lado, pienso en él, y no lo puedo mover. Hago un esfuerzo, pero sigo sin poderlo mover; me pongo nervioso y me da risa. Los cuatro dedos pequeños hay que moverlos al mismo tiempo, como si estuvieran pegados con goma; los dedos de la mano, en cambio, se mueven cada uno por su cuenta. Si no, no se podría tocar el piano, la cosa es clara; en cambio, con los pies no se toca el piano; se juega al fútbol y para jugar al fútbol no hay que mover los dedos para nada... Entonces desearía ardientemente estar ya en el recreo jugando al fútbol; miro otra vez para el pie y ya no me parece tan raro. A lo mejor, con ese pie, saco de apuros al equipo, cuando el partido está en lo más emocionante y se ve al padre Ortiz que cruza el patio para tocar la campana. Después, en la clase, todos me mirarían agradecidos. ¡Ah! Pero, a veces, ese pie no me sirve para nada; me cogen hablando y me ponen debajo de la campana, mirando para la pared; la pared es de cal y con el pie me entretengo en irle quitando pedazos, poco a poco. Pero eso tampoco es divertido...

Vuelvo a tapar el pie, rápidamente; de buena gana me pondría a llorar...

Pienso: a las botas les pasa como a las violetas o a las azules hortensias... Es curioso: se van a dormir al office porque nadie se atreve a dejarlas de noche dentro de la habitación... Cuando pienso unos instantes en las violetas me invaden unas violentas ganas de llorar. Después lloro, lloro con avidez unos minutos, y llego a sentirme tan feliz al ser desgraciado, que de buena gana me pasaría la vida en la cama, sin ir al colegio, sin salir a jugar a ningún lado, sólo llorando, llorando sin descanso...

Me disgusta no ser constante, pero cuando lloro, por las mañanas, acabo siempre por quedarme dormido. Duermo no sé cuánto tiempo, pero cuando me despierta mi madre, que es rubia y que tiene los ojos azules y que es, sin duda alguna, la mujer más hermosa que existe, el sol está ya muy alto, inundándolo todo con su luz.

Me despierta con cuidado, pasándome una mano por la frente como para quitarme los pelos de la cara. Yo me voy dando cuenta poco a poco, pero no abro los ojos; me cuesta mucho trabajo no sonreír... Me dejo acariciar, durante un rato, y después le beso la mano; me gusta mucho la sortija que tiene con dos brillantes. Después me siento en la cama de golpe, y los dos nos echamos a reír. Soy tan feliz...

Me visten y después viene lo peor. Me llevan de la mano al cuarto de baño; yo voy tan preocupado que no puedo pensar en nada. Mi madre se quita la sortija para no hacerme daño y la pone en el estantito de cristal donde están los cepillos de los dientes y las cosas de afeitarse de mi padre; después me sube a una silla, abre el grifo y empieza a frotarme la cara como si no me hubiera lavado en un mes. ¡Es horrible! Yo grito, pego patadas a la silla, lloro sin ganas, pero con una rabia terrible, me defiendo como puedo... Es inútil; mi madre tiene una fuerza enorme. Después, cuando me seca, con una toalla que está caliente que da gusto, me sonríe y me dice que debiera darme vergüenza dar esos gritos; nos damos otro beso.

Si el desayuno está muy frío, me lo calientan otra vez; si está muy caliente, me lo enfrían cambiándolo de taza muchas veces...

Después me ponen la boina y el impermeable. Mi madre me besa de nuevo porque ya no me volverá a ver hasta la hora de la comida.

Yo nací en la casa del abuelo

Yo nací en casa del abuelo. El abuelo es viejo, tiene la barba blanca y lleva traje negro. El abuelo es tan viejo como un árbol. Su barba es tan blanca como la harina. Su traje, tan negro como un mirlo o como un estornino. Los árboles se pasan el día y la noche, el invierno y el verano, al aire libre, mojándose, cogiendo frío o asándose al sol, a la hora de la siesta, en el mes de julio. La harina se hace moliendo los granos de trigo, que están escondidos en la espiga amarilla. Los mirlos, a veces, se pueden amaestrar, y entonces llegan a silbar canciones hermosas. Los estorninos, no; los estorninos son más torpes y nunca llegan a silbar canciones hermosas.

Papá también nació en casa del abuelo. Papá es joven, tiene el bigote negro y lleva traje gris. Papá es joven como un soldado. Su bigote es finito como un mimbre. Su traje gris como el agua del mar. Los soldados, cuando vienen las guerras, se pasan el día y la noche, el invierno y el verano al aire libre, mojándose, cogiendo frío o asándose al sol, a la hora de la siesta, en el mes de julio; si Dios quiere, viene una bala del enemigo y les da en el corazón. Los mimbres crecen a la orilla del río casi dentro del agua. En el mar no hay mimbres, hay algas de color verde, que parecen árboles enanos, y algas de color marrón, que parecen serpentinas y tienen, de trecho en trecho, una bolsita de agua.

Si el abuelo no hubiera nacido, yo no sería nadie, yo ni existiría siquiera. O sí, a lo mejor sí. Sería otro, sería Estanislao, por ejemplo, que es bizco y tiene el pelo rojo. ¡Qué horror! Mamá sería asistenta de tía Juana y andaría siempre diciendo: ¡ay, Jesús!, ¡ay, Jesús!, como una boba. No, no, yo no soy Estanislao, yo tampoco quisiera ser Estanislao. A veces, Dios mío, quiero ser un príncipe indio o un pescador de perlas. Perdóname, Dios mío, yo me conformo con seguir siendo siempre quien soy. Yo no te pido que me cambies por nadie. Por nadie...

Estanislao no tiene dos naranjos en su jardín. Yo, sí; yo tengo dos naranjos en mi jardín. Las naranjas son agrias y no las comen más que los marineros, pero los naranjos, desde muy lejos, cuando se viene por la carretera, se ven por encima de la verja, tan altos como la casa, con algunas ramas aún más altas que la casa.

Yo venía por la carretera, el otro día. La carretera es pequeña, es más bien un camino. A los lados crecen las zarzas y la madreselva, y por detrás de las zarzas y de la madreselva cuelgan las ramas de los cerezos, de los nísperos y de los manzanos. Yo venía por el camino mirando para los dos naranjos del jardín. (Mañana prometo que no diré: ¡aparta, aparta, toma la carta!, cuando pase por delante del cementerio. La abuelita está enterrada en el cementerio debajo de un olivo. Sobre su tumba, el abuelito ordenó al jardinero que sembrase violetas.)

El primo Javier juega a la pelota en la pared del cementerio. A mí me parece que jugar a la pelota en la pared del cementerio, es pecado. Mi primo Javier se baña en la presa del molino y es capaz de irse de noche hasta los álamos y allí sentarse y empezar a pensar...

Mamá me dijo:

—No vayas por la vía.

Yo, entonces, le pregunté:

—¿Es pecado?

Yo creo que mamá dice siempre la verdad.

—No, pecado no es.

—Bueno, de todas maneras te prometo que nunca iré por la vía.

Mamá y papá son mis padres. El abuelo a mi papá le llama hijo, y a mi mamá, María. Yo creo que si el abuelo no hubiera nacido yo no sería nadie, ni Estanislao siquiera. A lo mejor yo era un gusano de luz. O un pato. O un pez. O un jilguero. O un corderito. O un trozo de cuarzo cristalizado. O un sello. O el rastrillo o la azada del jardín... No, de no ser yo, sería, sin duda, un gusano de luz.

Por las noches, mientras alumbrara la yerba con mi barriguita luminosa, me helaría de frío. Además no vería las copas de los naranjos, al venir por el camino. ¿A mí qué más me daría no ver la copa de los naranjos? Los naranjos no serían míos, ni el abuelo viviría. Los naranjos tampoco serían naranjos... Los gusanos de luz no andan por el camino, se están quietos al borde del camino, pero aunque anduviesen, sólo un día nada más, por el camino, no verían las copas de los naranjos. De eso estoy seguro. Bueno, no, seguro no estoy. No se puede decir de eso estoy seguro, cuando una cosa no se sabe bien. Mamá, ¿es pecado? Qué gracioso; mamá no está aquí. No, hijo; duérmete; eso no es pecado. Yo mañana me acostaré en el suelo y pondré los ojos a la altura de los ojos de los gusanos. Si no se ven las copas de los naranjos, gano. Entonces ya no me condenaré.

Yo no sabía que era tan viejo. A mí no me importa nada ser tan viejo. Mamá no es mi mamá, mamá es hija mía. Yo no lo sabía porque yo no tengo memoria.

A mí me dicen de repente: ¿qué hiciste ayer por la mañana?, y yo no sé lo que hice ayer por la mañana, no puedo recordarlo.

Que mamá no sea mi mamá, ya me da más pena. Cuando entre en casa ya no le podré decir:

—Toma estas violetas, te las regalo.

Mamá me dice:

—Hoy no me has traído violetas, ¿ya no me quieres tanto como me querías antes, cuando me traías violetas todos los días?

Yo me echo a llorar. Mamá no me dice nada; me lo dirá después; cuando entre en casa. A lo mejor lo que me dice no es eso, es otra cosa.

—¿Has llorado, hijito? Tienes los ojos encarnados.

Yo tendré los ojos encarnados como las cerezas y las moras verdes, que no se deben comer porque dan cólico.

A veces también le digo:

—¡Hoy la gallina Pepa ha puesto un huevo, yo la he oído cantar!

Ayer por la noche acampó al lado de casa una familia de gitanos. Tienen un fenómeno, un niño que tiene seis dedos y la cabeza gorda como una calabaza.

Las tías dicen que yo soy un fenómeno, que soy un viejo y que parezco un niño pequeño. Mamá no es mi mamá y ellas no son mis tías; me alegro, me alegro.

Delante de ellas no lloro. Ellas dicen:

—¿No te importa?

Y yo les contesto:

—No, no me importa nada.

Entonces es cuando me dan ganas de llorar, muchas ganas de llorar. El jardinero me dice:

—¿Te vienes conmigo?

Y yo le digo:

—No.

Yo quiero que las tías sigan explicándome eso. Tienes lo menos cien años, eres más viejo que el abuelo. Yo me río y les digo:

—Mejor, mejor.

Me entran otra vez ganas de echarme a llorar, a llorar sin descanso, toda la vida.

Soy muy desgraciado, pero no me lo nota nadie. ¿Cuántos años tendrán los naranjos del jardín? Muchos; a lo mejor más de cien, más que yo. Las tías se ríen; dentro de su corazón vuelan los grajos y las lechuzas.

—¿Sabes que eres muy viejo? ¿Sabes que eres muy viejo?

—Sí, ya lo sé.

Me voy, arrastrando los pies para hacer polvo; en los senderos del jardín se levanta polvo, una nube de polvo, cuando se arrastran los pies.

En el gallinero, la gallina Pepa canta subida en la escalera.

Yo, de repente, me echo a llorar.

POR LAS NOCHES ANDAN LOS MUERTOS POR EL CAMPO

Por las noches andan los muertos por el campo, vagando por el campo, a orillas del río, por entre las árboles, alrededor del cementerio, con un largo camisón blanco, como las almas.

Yo cierro bien la ventana y echo la tranca de hierro. La tranca de hierro está pintada de verde; como es muy vieja, por algunos lados está ya negra, ya sin pintura. El grillo se ha quedado fuera, en su jaula, haciendo cri, cri, cri, cri. Los muertos no hacen nada a los animales, a los grillos, a los caballos, a las mariposas. Un gato puede escapar a tiempo; si viene una guerra, y si lo cogen prisionero, lo sueltan en seguida, siempre llegará un soldado que diga: ¡pero, hombre, cogiendo gatos!

Yo le pregunté una noche a papá:

—Papá, ¿es verdad que por las noches andan los muertos por el campo?

Y él me contestó:

—No, hijo; deja a los muertos en paz. ¿Quién te cuenta a ti esas cosas?

A mí me lo contó Rosa, la lavandera. Rosa, la lavandera, tiene tanta fuerza como un hombre y es capaz de llevar un cesto inmenso, todo lleno de ropa, en la cabeza. Rosa me dijo que los muertos, por las noches, salen del camposanto, al dar las doce, y se van hasta el río a ver correr el agua. Me dijo también que los muertos no hacen daño a los niños, pero que no les gusta que los miren. Yo no pienso mirar a los muertos, yo sólo miraría a mi mamá si se muriese; yo también me querría morir con ella y que nos enterrasen juntos, muy bien envueltos. Ahora no son las doce, son las nueve y media.

El grillo, en su jaula, sigue haciendo cri, cri, cri, cri. El quinqué alumbra la habitación y hace sombras negras y grises sobre la pared. Los muertos no tienen la sombra negra, tienen la sombra blanca.

Por las noches andan los muertos por el campo, pienso. Después me tapo, cabeza y todo, y procuro dormir. No se oye nada, el grillo fue dejando de decir cri, cri, cri, cri. Deben ser ya lo menos las diez.

EL RELOJ DE PESAS, EL MOLINILLO DEL CAFÉ Y LA BOMBA PARA SUBIR AGUA DEL POZO

El reloj de pesas, el molinillo del café y la bomba para subir agua del pozo son las tres máquinas que hay en casa del abuelo. Mis tías tienen unos prismáticos, unos gemelos de teatro y una lente de aumento, y mamá tiene una caja de música, un calidoscopio y una máquina de retratar.

Las cosas deberían tener nombre, como las personas y los animales y los pueblos, los montes y los ríos.

El reloj de pesas se llama, seguramente, Blas; es un reloj muy serio, que mueve el péndulo despacio, haciendo: blas, blas, blas, blas, de un lado para otro.

Los relojes de pesas son como el tiempo gris del otoño, cuando empiezan las nieblas y llevan agua las cunetas de la carretera.

El molinillo del café se llama, probablemente, Dick. También puede ser que se llame Fernando, no estoy muy seguro; con los molinillos del café es más difícil acertar. El molinillo del café lleva poco tiempo en casa, yo me acuerdo muy bien del día que lo trajeron, con el vasito de cristal lleno de virutas, una vez que fueron papá y mamá a la ciudad. Yo me quedé muy triste todo el tiempo, pero me alegré mucho cuando desempaquetaron el molinillo del café.

Los molinillos del café son como los jilgueros y las moscas de hierro que usa el abuelo para pescar.

La bomba para subir agua del pozo se llama Lola, como la doncella de las tías. Se parece más Lola a la bomba para subir agua del pozo, que la bomba para subir agua del pozo a Lola, eso es cierto. Yo le doy a la palanca y el agua empieza a salir por el caño, casi sin parar; como se han llevado el cubo, el agua se va por el suelo formando un charco largo que casi siempre se parece al abuelo apoyado en su bastón y con una mano en la cabeza.

Las cosas deberían tener nombre, como las personas y los animales.

Hay animales, por ejemplo, los pájaros, que tampoco tienen nombre. Algunos, como el loro de doña Soledad, sí tienen nombre. El loro de doña Soledad, que según dicen es viejísimo, se llama Coronel.

El reloj de pesas, el molinillo del café y la bomba para subir agua del pozo son las tres máquinas que hay en casa del abuelo. Mis tías tienen unos prismáticos, unos gemelos de teatro y una lente de aumento; mamá tiene una cajita de música, un calidoscopio y una máquina de retratar. Cuando es mi santo o mi cumpleaños, hace sonar la cajita de música, me deja mirar por el calidoscopio unas rosas de muchos colores y me saca una fotografía en el jardín.

La casa del abuelo es una de las casas que tienen menos máquinas en el mundo.

El reloj de pesas se llama Blas, el molinillo del café se llama Dick o Fernando, no sé bien. Esto ya lo dije...

LA ÚLTIMA CARTA DE SIR JACOB, JOVEN SENTIMENTAL

La condesa María Alexandrovna tenía los ojos claros como el cristal. Sentada en su sillón Queen Anne semejaba una reina sacada de las tragedias de los románticos alemanes.

Su marido, el conde Federico, coronel de húsares, estaba en la guerra. Sus dos hijos mayores, tenientes de artillería los dos, también. La condesa María sufría atrozmente; sin embargo, su papel de madre no le permitía decaer. Su única hija, Berta, viuda del príncipe Csarky, muerto a los pocos días de operaciones al frente de su escuadrón, era muy desgraciada.

Cirilo, su tercer hijo varón, de trece años de edad, con la cabeza erguida como un árabe y serio como un arzobispo, no se dignaba despegar los labios. Estaba ofendido con su madre, que le exigió promesa de no huir a la guerra. Cuando su padre volviera... De pie, con las manos en los bolsillos de la levita y la mirada fija en el crepitar del leño de encina de la amplia chimenea, se pasaba las horas muertas. Su preceptor había caído en desgracia; un día le dijo el pequeño Cirilo a su madre:

—No tengo edad ya para andar guardado por un pope. Va siendo hora de ser acompañado por un oficial.

Y a la condesa María se le llenaron los ojos de lágrimas...

Los dos hijos pequeños, Yeugenia y Mytia, una Evita y un Adán, rubios y soñadores, apoyaban sus cabezas sobre el regazo de la madre.

—Y como habéis sido buenos y habéis cumplido con vuestro deber, os leeré la carta de sir Jacob...

Cirilo se marchaba a su habitación. La carta de sir Jacob no quería oírla. Echado sobre la cama, leería La guerra de las Galias, *o* La vida de Napoleón, *o* La historia de Rusia.

Berta diría:

—¡Por Dios, mamochka!

Pero no haría demasiado hincapié.

Fuera, estaba todo cubierto por la nieve, como en las novelas de Tolstoi...

La condesa María Alexandrovna se levantó para volver al poco rato con la carta de sir Jacob en la mano. Su voz era suave como el lino. Oíd lo que leyó.

Pulteneytown, miércoles, 8 de noviembre.

Mi querida lady: Sé bien que no he cumplido mi promesa, que no he hecho honor a mi empeñada palabra, y comparezco por ello ante vos tan avergonzado como un turbio colegial con diez años de internado entre pecho y espalda. Quizá mi modestia desmerezca al yo conocerla; pero, ¿qué queréis?, no es mía la culpa de su conocimiento; de las intuiciones jamás nos es dado avergonzarnos, como nos es permitido hacerlo de una licenciatura en Cambridge, por ejemplo, o de un virreinato en la India: de las cosas que precisan una aceptación.

Perdonadme el párrafo anterior; podéis ser clemente conmigo, porque si cierto es que no cumplí con lo pactado, no menos digna de tomarse en consideración resulta la causa que a ello me forzó, causa que, ¡no, por Dios!, no seré yo quien osaré explicaros.

Ayer, a eso de las dos de la tarde, paraba el coche que me conducía a la puerta de mi casa. Me apeé por la portezuela que daba al mar, que estaba hermoso como nunca; los veleros, anclados a pocas yardas de mí, me entristecían con su silueta (a la que nunca conoceré ni querré lo suficiente), pero con una tristeza tan amable y acogedora como no sabría deciros. El mar parecía como templado alrededor de los viejos veleros, y el graznar de las gaviotas perdía su acritud al pasar por las jarcias y los obenques. ¡Dulces, ancianos barcos que conocéis las lágrimas del mar; vosotros, con vuestros nombres que suenan a cadenciosa y tierna hija de armador, seréis —lo sois ya un poco— las únicas criaturas que comprendáis el último estertor de este doliente amigo vuestro!

(Vos también lo comprenderíais, condesa: no me interrumpáis, sin embargo.)

Y de las bruñidas y doradas letras de vuestras popas, donde los signos, como estrellas fugaces, están tan sabiamente combinados que de su orden pueden leerse bonitos nombres: *Alice Terrey, Mary McSlow,* etc., saldrán esas llamitas que apagará, soplando con suavidad, mi esposa cuando esta mano con que escribo, sin separarse del resto de mi cuerpo, corra hacia el huequecito que le aguarda.

Se siente uno feliz viniendo a quedarse donde uno siempre se imaginó que debiera hacerlo. Yo sé perfectamente, como sabrán muy pocos humanos a buen seguro, qué aspecto presentará mi tumba, al pie de la amplia encina, bordeada de blanco granito, sembrada de violetas como las de mis padres y la de mi hermano, con una placa dorada, que dirá en unos caracteres que también sé cómo serán:

SIR JACOB MCJACOBSEN. F. C. S.
12-IV-1830
?-IX-1861

No sé —es lo único que no sé— el día que será (por eso pongo una interrogación); pero lo que sí os aseguro es que de este mes no paso; faltan veintidós días todavía para el treinta. Además, un deber de ciudadanía y de convivencia familiar me obligaría a precipitar mi marcha si se desacelerase: las Navidades son muy tristes con un enfermo en casa...

....

Mi mujer se incomodó porque salí del coche por la puerta que daba al mar y no por la que daba a la casa y donde ella me esperaba. Me reprochó mi frialdad y estuvo llorando toda la noche. Yo traté de consolarla. Después de todo, ¿qué culpa me asiste en mi preferencia por el mar? Hay cosas que mi mujer no comprende, porque trata de ahondar demasiado en ellas, cuando precisamente su sencillez es su única explicación.

Yo también en esto trato de descargar mi conciencia.

....

Sé que ya me habéis perdonado el que no os haya escrito ayer mismo, nada más llegar. Y en premio a vuestra bondad os haré dentro de poco una confesión que os llenará de gozo.

Pero antes será necesario que reconozcamos los dos que mi mujer está hermosa como nunca. Llevamos seis años casados y casi seis separados, como ya os dije; ahora volvemos a unirnos porque, en realidad, yo no me voy a morir en medio de la calle ni ella lo consentiría tampoco. Quizás ocurra que antes fuera aún demasiado joven para haber alcanzado la belleza; ahora tiene exactamente veintiún años y dos meses.

Nuestro hijo, a quien yo no conocía, cumplió ya los cinco años. Es alto y delgado como yo y me mira con una mezcla de desprecio y tolerancia que me irrita. Probablemente me considera un intruso. ¡Quién sabe si no le asistirá la razón!

....

¡Os amo, condesa, os amo ardientemente, violentamente, ahora que ya sé —con una certidumbre que abruma— que jamás seréis mía, que jamás viviréis al mismo fuego que yo, que jamás os lavaréis la cara en el mismo lavabo donde yo vaciara, noche a noche, los vasos de lágrimas que me hacéis verter!

Ahora que ya sé —tan bien como vos lo sabéis, aunque por nada del mundo lo confesaríais— ese secreto que vos me enseñasteis y que morirá conmigo, porque no me habéis autorizado a hablar con nadie de él, ni siquiera con vos misma...

Ahí queda mi confesión (hecha a cambio de vuestra indulgencia), que sé que os llenará de gozo.

....

Mi esposa —hoy ya no llora— me pregunta qué escribo. Yo le contesto que el testamento, y entonces ella me sonríe, me aparta los cabellos de la frente y me dice que aleje los malos pensamientos; y a quien entran entonces ganas de llorar, unas ganas inmensas de llorar, es a mí...

Las mujeres sois una mezcla extraña de reacciones que yo me confieso impotente de interpretar. Cuando no sois esa mezcla extraña no merecéis la pena. Aunque seáis hermosas como las venus griegas. Mi mujer —que, como vos, forma en el grupo de las que merecen la pena, aunque no seré yo quien señale los lugares ocupados por ella y por vos— es probablemente más compleja de lo que yo me había figurado, y estoy ante ella en una constante tensión. La niña abandonada por su marido...

....

El viaje que hice fue cansado, muy cansado; reparad, además, en lo precario de mi salud y en las muchas millas que hube de recorrer y os haréis idea de lo rendido y agotado que llegué.

Hace días que no me miro al espejo (a causa, perdonad que os lo explique, de un orzuelo cuyo aspecto no quiero ver sobre mis ojos) e ignoro si mi palidez ha aumentado; de todas formas, no irá mal a mi negro pelo. Lo que sí me preocupa es mi delgadez, que probablemente es ya extrema...

....

No sé por qué os digo ni la mitad de las cosas que os digo. Lo que no os agrade, dadlo por no escrito. Será mejor.

....

Mi mujer miraba para el mar. Yo fui muy despacito hasta ella y la cogí suavemente por la cintura. Ella ni se movió ni dijo una palabra... Pero por la noche yo me hacía el dormido y ella me besaba en la frente y en las mejillas.

Recuerdo que vos me decíais:

—Las rusas tenemos la boca grande; podemos morder...

¿Os acordáis? Pues bien, no es cierto eso que asegurabais. Mi mujer, que es escocesa, tiene la boca tan grande, por lo menos, como la vuestra, mayor posiblemente, y es incapaz de morder. No os enfadéis; tenéis la obligación de saber que os quiero como nadie quiere a nadie, y esa obligación vuestra (que cumplís, estoy seguro de ello) es para mí una liberación que me permite llegar hasta donde mi voluntad, antojadiza como la brisa o como las mariposas, quiera llegar.

....

El tiempo es gris, como es de ley que sea en esta estación y en esta latitud. Pero mi ánimo vuela al margen del barómetro y, si estuvieseis cerca de mí, iluminaría todo mi ser con idénticas luces a las de vuestra tierna y nostálgica Ucrania marinera, la de los almendros, las vides y los naranjos.

....

Pero estáis alejada y os aparecéis ante los ojos de mi alma con una hermosura tal que no puedo ni miraros.

Y me conformo con oleros. En sueños oléis exactamente igual que en carne viva: a rosas, cuando estáis predispuesta al amor; a violetas, cuando os sentís caritativa; a jazmín, cuando el genio anuncia su arrebato..., y yo aspiro vuestro aroma hasta la embriaguez, y caigo rendido de amor, en la menos gallarda de las posturas, debajo de la mesa...

....

¿Creéis que hay derecho acaso a que yo, por ejemplo, me coloque ante una mesa (la mesa estará apoyada en la ventana, y por la ventana se verá el mar), ante un montón de blancas cuartillas, coja la pluma y empiece a escribir, a escribir, así sin más ni más, sólo por la pueril ilusión de sentirme ante vos (que gozabais —una vez me lo dijisteis— de oírme por oírme, aunque mi tono de voz —también vos lo habéis dicho— se debilitase por la afonía), de contaros a vos todo este fárrago de pensamientos nómadas que a mi mente afluyen?

....

No sé lo que creeréis, pero yo os aseguro que sí, que hay derecho. Honradamente vuestra opinión sobre este extremo —aunque os la he pedido— no me interesa.

....

Perdonadme, condesa, una vez más. La fatiga me hace desvariar. No lo digo por el párrafo anterior, que sigo creyendo cierto, no; lo digo por otras cosas de las que vos —a buen seguro— os habéis percatado. Pago las culpas de un clima ruin (en cuyo gobierno no he tenido ninguna participación), y esa injusticia que clama a los cielos me subleva hasta la última gota de sangre. En vuestro país, como las enfermedades están sabiamente repartidas, no os dais cuenta de lo que significa toser a cambio de conocer el sabor de la sangre del pecho. Los franceses, que discurren y sienten mucho más rápidamente que nosotros, cantan lo que aquí jamás nadie se atreverá a cantar. La iglesia de mi país es una rémora para los moribundos que nos obstinamos en vivir, y los pastores —por regla general— no pasan de ser unos pobres conversadores.

....

Ahora bien, reconozcamos que se atreven a hablar de todo, lo cual no deja de ser una virtud: la osadía.

Os dicen:

—¡Oh la pintura española, la música italiana, las bellas formas de la escultura griega!

No les creáis; no saben una palabra de nada de lo que hablan. Mienten —y lo que es peor: a sabiendas— siempre que abren la boca, porque hablan siempre como de oídas.

....

Pero son felices con sus amplias mujeres, con sus tiernos y albinos hijitos, generalmente estúpidos como gallinas.

La felicidad es algo no aprehensible. Tal, al menos, es mi opinión, derivada de la experiencia. Si vos creéis lo contrario, anotad los datos que preciséis, para mostrármelos a su debido tiempo: en el purgatorio, por ejemplo, donde, a buen seguro, me encontraré todavía cuando vos, aburrida de vuestro marido (no olvidéis que siempre os vaticiné que os casaríais con un militar ruso), decidáis marcharos.

Y si digo que la felicidad es algo no aprehensible, creedme que digo la verdad. Lo más que puede ocurrir a veces es que sea palpable, que pueda ser acariciada y mimada; pero jamás —no lo olvidéis, para ahorraros vanos intentos— podrá ser apresada, y no digamos envasada, como las cerezas en aguardiente o los arenques ahumados.

Jueves, 9

Pensando en vos primero y soñando con vos después se me ha pasado la noche.

....

(Ahora os escribo desde la cama, porque no me voy a levantar sino hacia el mediodía.)

....

Una brisa suave riza el plato del mar en la bahía. Los veleros se aprestan para aprovecharla y aparejan a toda prisa. Los marineros suben por los palos con la misma soltura con que vos valsáis en el salón. Y como el mar los espera, en cada popa un marino toca en su acordeón su despedida.

A mí me gusta este sonar silvestre y marinero de las selvas del mar. Quizá sea muy complicado, por eso muero joven. Me gusta, como me gusta también la religión católica, como también me gustáis vos... Si no tuviese la obligación de morir, os propondría un viaje por el Mediterráneo, por el mar de los católicos; los marselleses y los napolitanos también hacen sonar el acordeón...

....

Mi mujer, a mi ruego, toca el piano. Ya es sabido: los niños que pasan por la calle, con sus abriguitos y sus caras de bestezuelas domésticas, se van parando a escuchar. Al principio, son sólo dos, cogidos de la mano. Después van llegando más, unos andando tranquilamente, como pensativos profesores; otros saltando a la pata coja y poniendo en su salto mucho más sprit que los cojos de verdad; otros aun dando pequeñas y veloces carreras para delante y para atrás, no con la gracia de las golondrinas, sino con la torpeza de los murciélagos...

Ya tenemos a todos los niños del pueblo reunidos y en silencio. Son muchos: sesenta, por lo menos; quién sabe si ochenta. Y aprovechando esta ocasión que se nos brinda...

....

Lo que debéis perdonarme ahora es que sistematice. Cambridge me hizo mucho daño, pero cuando partí para Cambridge —desde la casa de mis padres— era una indefensa criatura.

....

Mi mujer toca al piano un vals torpón; lo hace a propósito, puesto que ella es una estimable pianista. Los niños que escuchan en la calle entornan los ojos, soñadores, y no se dan cuenta del frío. Tampoco se percatan de que se les hace tarde, de que no van a llegar a comer a tiempo, de que —probablemente— sus madres (o sus padres, si han tenido la desgracia de quedarse huerfanitos de madre) les tundirán las costillas con el fuelle de avivar la lumbre, o les golpearán sus tiernos vientres con una bota...

Entonces mi mujer deja de tocar su vals, y yo abro las ventanas y les recito unas estrofas de *Hamlet*.

A los diez minutos, si queda algún niño, es por curiosidad. Los otros —hasta sesenta u ochenta— se han marchado ya, y el que más y el que menos piensa, allá en lo más remoto de su almita, que yo estoy rematadamente loco.

....

Un griego de la época clásica pasea con su perro. Ante una estatua de Fidias, el hombre se extasía... El perro permanece indiferente; al cabo de un rato huele un poco la base y levanta la pata.

A lo lejos, un cazador deja oír su silbo. El hombre dice:

—¡Caramba, un cazador!

Y sigue su camino. El perro, sin embargo, levanta las orejas, menea gozoso el rabo, se estremece todo a lo largo del espinazo... Es el momento más feliz de su día.

....

Volvamos a las criaturas. Tomad una (si os repugna podéis encargárselo a un criado de confianza), la que a vuestro juicio tenga un aspecto más puritano. Podéis decir en hermosas frases de Anacreonte cosas interesantes y hasta bellas de la criatura que mantenéis en alto, cogida de los pies. Nadie os tomará en consideración.

Pero haced que suene algo; ordenad a vuestro criado que lo despelleje vivo, para hacerle gritar con verdaderas ganas. Entonces el pueblo se amotinará. Gritará, con la inconsciencia que le caracteriza:

—¡Devolvednos a nuestro Jimmy con todo su pellejito!

Y será capaz hasta de asesinaros.

....

(Ahora me levanto. Mi esposa me ayudará, a buen seguro, a ponerme la levita.)

....

(Efectivamente, mi esposa me ayudó a ponerme la levita. Es buena y dulce, cualidades que, sin embargo, no han bastado para hacerme feliz.)

....

Voy a ensayar una disculpa. El sistema de la letanía no me parece deleznable.

Yo, condesa, que a mis treinta y un años voy a morir como un estornino: dulcemente. Que jamás hice el mal a sabiendas (cuando dejé a mi mujer sentí el alma oreada por la brisa suave que caracteriza a los actos de caridad). Que nunca cité opiniones de herejes, aunque he de confesar las simpatías que a ellos me unen. Que aún no pasé el día ni la noche —desde que tengo uso de razón— en que no haya elevado mi plegaria a los cielos. Que puse el hielo del silencio en mi lengua cuando me daba cuenta de que los elogios que dirigía a determinada persona eran excesivos; y que —por último— dilapidé dos fortunas (la de mi mujer y la mía, las cito por orden de importancia) en menos de seis años, sembrando así la alegría en casa de la honesta florista, del honrado pastelero, del amable criado y del benévolo cochero, voy a ser acusado dentro de poco por el Supremo Fiscal y ante el tribunal donde el juicio no es sino rito, pues de sobra sabe el juez si uno dice la mentira o la verdad, y si uno va a ser destinado a la diestra o a la siniestra de Dios Padre.

....

Y como tiemblo de miedo, me dirijo a vos para que me tengáis presente en vuestras oraciones.

....

Adam Smith, padre de la nueva ciencia que recibe por nombre el de economía política...

¿Qué trabajo me hubiera costado coger la pluma y empezar así un artículo; levantarme en los Comunes y comenzar así un discurso? Pues bien, jamás lo he hecho. Y cuando he visto u oído que otros lo hacían, los dejé que siguieran y no les descubrí la trampa...

Ahora os veo entre las llamas de la chimenea, ya verde, ya azul, ya encarnada, vos..., ¡que sois tan blanca como la misma nieve de vuestra estepa, donde nadie pisa!, y pienso en lo traidora que conmigo ha sido la naturaleza.

....

Pues si —como sólo Dios sabe del todo— me puse en viaje con la más alegre de las voluntades y el más jocoso de los ánimos, no por otra cosa fuera que por aligerarme la pena de vuestra despedida y evitaros el tener que decir: me muero, me muero. Esta partida me destroza el corazón... (como es fama debe decirse en análoga circunstancia, aunque —bien mirado— resulte en ocasiones embarazoso).

Porque el amor que os profeso, condesa, es tal que no le veo el límite. Y si fuera preguntado sobre la cantidad de mi cariño, mi deber sería contener la respiración hasta caer muerto por asfixia, como para dar a entender que estaba acopiando fuerzas para poder responder.

....

El gorrión es un pájaro tan ruin como simpático. Yo amo al gorrión, porque en el fondo soy también un tanto ruin, y por la misma razón por la que amo a las monedas de cobre, o a los sellos de correo usados, o a los viejos pataches de encascadas velas, o a vos misma, condesa, que en vuestros veinticuatro años sois más vieja que nadie...

(Perdonadme que os galantee de esta descarada manera; pensad que es mi admiración por vos lo que a ello me obliga. Dejadme insistir: sois vieja y ruin.)

....

Pues bien, uno de estos pajaritos (que los italianos, los españoles y los portugueses comen fritos a docenas y sin dejar ni el cráneo) vino a posarse a mi ventana, justamente delante de mí y entre mi levita y el mar;

más cerca, sensiblemente, de mi levita que del mar. Respiraba con dificultad, sus ojos denotaban la fiebre, y en la punta de su gracioso pico un hilito de sangre se había coagulado al aire. Inmediatamente me percaté de que me hallaba ante un colega que a buen seguro la providencia me enviaba para darme a conocer alguna provechosa enseñanza. Abrí la ventana, lo tomé en mi mano, lo coloqué en la amplia mesa de despacho (que nadie usaba), y sobre un pequeño papel secante (el gorrión quizá desconociese las costumbres de la casa) lo examiné y, ¡horror!, retrocedí asustado ante la prueba, la última prueba que necesitaba para saber de cierto cuánta maldad depositara Satanás en la almita del hijo del pastor.

El gorrión tenía el pecho atravesado por un alfiler de cabeza gorda del que pendía una pequeña cinta que decía:

Christmas Greetings. Cecil Wilmot.

El pequeño monstruo Cecil Wilmot era el hijo del pastor: pelirrojo, pasmado y legañoso como una corneja; patizambo, sanguíneo y taimado como un buey; y sonriente, espectacular y cochinamente lugareño como su padre, toda la familia de su padre, y por lo menos la mitad de los feligreses de su padre, ¡quién sabe si en su primitivo cerebro no albergaba la esperanza de que el pájaro viviera hasta la Navidad y el Año Nuevo (fiestas de alegría y de familia)!

....

Amada mía de mi corazón, quizá sean excesivos los duros epítetos que esta alma atribulada por la desgracia de un colega ha vertido sobre Mr. Cecil Wilmot. Reconozcámosle, cuando menos, un cierto deseo de agradar en su procedimiento —exclusivo, por otra parte— de felicitar las pascuas...

....

El pajarito ha sido enterrado en la biblioteca, dentro de una aburrida y gorda *History of Italy.*

El alfiler de cabeza gorda del que pendía una pequeña cinta que decía:

Christmas Greetings. Cecil Wilmot.

ha sido devuelto a su dueño.

....

Porque sabéis que os amo entrañablemente, vuestro recuerdo exige de mí que aleje cierta sombra de duda que veo cruzar por vuestra hermosa cabeza.

No es que reproche lo cruel por sistema, no; lo reprocho por no común. Lo cruel tiene siempre suficiente grandeza para brillar por sí propio como los soles de los espacios sidéreos o como vuestros ojos, condesa, y no precisa huir de lo común y cotidiano, como la obra de arte, por ejemplo, o como la conversación.

....

Pero ocurre en nuestro país un curioso fenómeno que vos tardaréis en comprender, por extraño a vuestra manera de ser. Para un indígena de un país donde todo se escribe y nada se cumple ha de resultar a la fuerza extraña la consecuencia que de un hecho determinado obtenga un indígena de otro país donde nada se escriba porque la costumbre es ley.

....

Pero yo siento, en el mismo centro de mi ser, el dolor inmenso que llevan retratado en la cara los niños malditos. Pasan pálidos, abochornados, huidizos, bajo mi ventana, enfundados en sus mortuorias casacas, formados de dos en dos en larga fila, cogidos de la mano bajo la mirada del pastor, que irradia una alegría homicida.

Son los abandonados, los repudiados; son los hijos de quienes exclaman poniendo los ojos en blanco:

—¡Ay, qué trabajo me cuesta la separación; qué dolor más grande!

Para añadir al poco rato, creyéndose que todos los presentes son memos como ánades, olvidándose que desde un rincón yo los contemplo:

—Pero a los niños ¡les hace tanto bien una temporadita de internado!

En la cara de cada niño maldito está pintada la muerte; y el pastor, cada vez que ve a un niño entregarse al destino como una tierna oveja, piensa —entre cínico y gozoso— en su obtuso cerebro:

—¡Loado sea Dios! Mr. (o Mr. V) va camino de convertirse en un hombre de provecho.

Y sonríe, gozoso, mientras su alma está todavía un poquito más entregada al diablo...

....

Yo quiero, condesa, antes de morir, romper ante vos una lanza en defensa de los niños malditos.

....

Porque siento tal vergüenza de tener más de treinta años cuando ellos pasan, que no me atrevo ni a mirarlos directamente. Cada persona mayor, cada hombre y cada mujer, es un enemigo de los niños malditos; y como ellos lo saben (y no saben, sin embargo, contarme como la excepción), yo, sonrojado hasta las orejas, recurro a verlos pasar escondido tras los visillos.

....

¡Ah!, pero aquí, aquí mismo, donde yo toco ahora, en este corazón que está dentro de mi pecho, vosotros tenéis, dulces, tiernos niños malditos, todavía una piedra donde reclinar vuestras cabezas para llorar conmigo y conmigo maldecir de vuestros padres, de vuestra mortuoria casaca, de la homicida sonrisa del pastor y de esa fuerza misteriosa que os lleva a cogeros de la mano, durante los recreos, por las húmedas esquinas del patio del internado.

Viernes, 10

Toda la noche he estado sobresaltado con el atroz recuerdo de los niños malditos; pero hoy, gozoso porque he oído cantar los matutinos pajaritos que, entre dulces latidos, me han traído vuestro primer recuerdo (el de aquella noche en L'Opera Comique de París, ¿os acordáis?), me he sentido feliz, con una felicidad radiante, y he inventado para vos un nuevo personaje: las niñas benditas.

....

Vos habéis sido, a buen seguro, una niña bendita, cuando os bañabais desnuda —según vos misma me dijisteis— en el estanque de vuestra finca de Eupatoria y nadabais, nadabais, con vuestra larga cabellera suelta, en el cristal donde nadaba el cisne y en donde la cereza, por el mirlo picada, al caer dibujaba siete círculos que difuminaban vuestro contorno...

....

Vos habéis sido, a buen seguro, una niña bendita, cuando os secabais desnuda —según vos misma me dijisteis— en la pradera de vuestra finca de Feodosia y corríais, corríais, con vuestra larga cabellera al aire, por el tapiz donde saltaba el ciervo y en donde la gardenia, por vuestra mano asida, al caer dibujaba sobre vos una lluvia que limitaba de nieve vuestro contorno...

....

Vos habéis sido, a buen seguro, una niña bendita, cuando dormíais desnuda —según vos misma me dijisteis— en el bosque de vuestra finca de Yarylgach y soñabais, soñabais, con vuestra larga cabellera dormida sobre el césped, con el reino lejano donde el moreno infante dejó casa y honores para ir en vuestra busca...

....

La manzana que mordisteis entonces me está matando ahora...

El reino estaba demasiado lejos; no ha sido mía la culpa de no llegar a tiempo.

....

¡Oh Dios! ¿Por qué habéis situado a la Crimea tan lejana al Caithness?

Sábado, 11

Os ruego que dispenséis, condesa, mi rapto lírico de ayer, a quien comparo con la hortensia, que es hermosa, pero sin aroma, y aun con la dalia, que tan bello es su aspecto como repugnante su olor.

....

Porque habéis de saber, condesa, que relatar estupendas hazañas de poco nos vale si no sabemos vivirlas. Como de la misma manera, vivir hermosas o gloriosas acciones de nada nos sirve si no sabemos contarlas.

....

(Quizás esto os explique mi conformidad ante la muerte.)

....

La hortensia de Byron hubiera necesitado un injerto: flor silvestre de navegante portugués o de conquistador español.

La dalia de Goethe (a quien Ulrika von Levetzow hubiera levantado a última hora, como vos sabéis) murió sin recibir lo que Beethoven acabó por recibir después de mucho suspirar: la madreselva del condottiero.

....

Que fue lo que le salvó y lo que le sacó del reducido ámbito para elevarlo —en volandas— mucho más lejos.

....

Pero vos, condesa, niña bendita, hermosa entre las hermosas, acabaréis casándoos con un militar ruso, a quien no amaréis, pero que será bueno con vos; como yo, que tanto os amo, no lo sería probablemente.

Y tendréis cuatro hijos varones, que serán también soldados.

....

Vuestro marido vivirá largos años, mas vuestros hijos morirán jóvenes: dos en una guerra y dos en otra.

....

(No reíros, ahora de soltera, cuando sois galanteada por poetas, de lo que os dice un hombre que tiene la obligación de poneros sobre aviso, porque, además de amaros tiernamente, va a morir; porque quizá mañana, de casada, cuando seáis guardada por un capitán, tengáis que arrepentiros.)

....

(Volved a perdonarme, condesa. Ya sé que no sois soltera. Tampoco ignoro que ya sois guardada, desde un ayer casi lejano, por un capitán. También os atribuyo una edad que no tenéis. ¿Qué importa?)

....

Y vos, cuando vayáis a entrar en la iglesia para poneros a la izquierda de vuestro novio el capitán y recibir la bendición, os acordaréis de mí; pero trataréis de apartarme de vuestra mente diciendo:

—¡Pobre sir Jacob!

Y me negaréis hasta tres veces, como en vuestra hermosa religión negara San Pedro al Maestro.

....

He suspendido por media hora el seguir escribiéndoos, para tomar una taza de té en compañía de mi mujer y de mi hijo.

Os encontré entre los cuadradillos de azúcar, reflejada en la breve cuchara, mirándome desde el fondo de la taza, escondida entre el cake, jugando entre los cabellos de mi hijo...

....

Estuve un largo rato en silencio. Mi mujer, con una dulzura sin límites, me preguntó si me pasaba algo, y al ella hablarme hubiera deseado cualquier cosa (hasta un vómito de sangre) que disculpase mi mudez, que tanto la hacía sufrir. Pero en sus ojos os vi reflejada, niña bendita.

....

Y rompí a llorar con una amargura inefable.

....

Ahora estoy de nuevo ante la mesa y ante el mar, y el cansancio ha servido para llevar la laxitud a mis nervios. Estoy ya más tranquilo y os bendigo —¡bendita seáis, niña!— porque habéis sido capaz de hacer que, ante el dolor de mi mujer, soplara todavía en mi alma la confortadora brisa del sacrificio.

....

Y os manifiesto un nuevo aumento, de ser ello posible, en el cariño que os profeso. Que amenaza con calar tan hondo en mi pecho como el que profeso al mar.

....

Porque vos, condesa, que en cierto modo sois un tanto ingenua, debéis rechazar por sistema las apelaciones a la conformidad ante la muerte. Aunque os las haga yo mismo.

....

Ya que, en último término, lo único que tiene importancia es vivir sencillamente, simplemente, vivir no más que por el gozo de sentir que vivimos. Llevarnos una mano al pecho y sentir palpitar el corazón. Reclinar la cabeza sobre la almohada y oír el dulce latido de la sangre en las sienes.

....

Pues de nada ha de servirnos vivir como un pachá, si hemos de preceder a todos los mendigos camino de la tierra.

....

Yo me resisto a morir, condesa; me resisto a dejarme arrastrar, como si no tuviera voluntad. Y a veces me da por pensar que quizá Dios, al ver mi profunda fe en lo que está vivo, dirija hacia mí un grano de su compasión y me conserve la vida largos años más.

....

La tristeza me invade, dulce amiga mía, porque he tenido un mal pensamiento (al verla tan hermosa) y he estado a punto de seros infiel: con mi mujer, cuyas tiernas miradas...

....

Vivir, vivir desbocadamente, a caño lleno, vivir avaramente. Y vaciar la vida por la borda.

Y si Dios transige y nos deja unos años más por delante, yo os aseguro haceros la reina de Londres, el ídolo del West End. Que si a estas horas no lo sois ya —a pesar de vuestros muchos merecimientos—, no por otra cosa es, me ruborizo de reconocerlo, que por culpa mía.

....

Perdonad mi inmodestia. Nada de lo que yo haga puede reflejarse en vos, que estáis en otro plano, creedme. Pero vuestro recuerdo me hace desvariar.

Domingo, 12

Hoy me ha sido dado contemplar un hermoso espectáculo. Un jovial y simpático marinero noruego (a quien todos estimábamos por sus virtudes) apareció ahogado en la playa; tenía los ojos abiertos como estos tremendos Cristos muertos de la imaginería española...

....

Me acordé inmediatamente de vos, porque todo es bueno para traer vuestro recuerdo. Me acordé inmediatamente de vos, y un sobresalto me recorrió las venas al pensar que pudierais poner alguna vez aquellos ojos de besugo enfermo.

....

Es bello morir en el mar, tan bello como tremendo es que el mar desprecie nuestra ofrenda y devuelva a la tierra nuestro cuerpo.

....

Estoy profundamente abatido y os ruego que dispenséis el que, por hoy, ponga punto. Mañana, si Dios quiere, continuaré.

....

P. D.—Señora, Dios no quiso que mi marido acabase la carta que os dirige. Debemos mostrar conformidad.

Perdonad que haya tardado más de una semana en enviaros estos papeles; os ruego que os hagáis cargo de mi estado de ánimo.

Pulteneytown, 20 de diciembre.

Margaret McJacobsen.

La condesa María Alexandrovna acabó con un hilo de voz. Daba muestras de una gran agitación interior, de una emoción profunda.

Su hija Berta, viuda del príncipe Csarky, muerto a los pocos días de operaciones al frente de su escuadrón, no levantó los ojos de la chimenea.

Las llamas iban y venían, como duendes luminosos que se fuesen apoderando de nuestra imaginación.

Sus dos hijos pequeños, Yeugenia y Mytia, una Evita y un Adán rubios y soñadores, se habían quedado dormidos apoyadas las cabezas sobre el regazo de la madre.

Su hijo Cirilo, allá en su habitación, echado sobre la cama, con La vida de Napoleón, *abierta por Austerlitz, entre las manos, también dormía, con los ojos dulcemente entornados y la cabeza poblada de heroicas escenas guerreras.*

A la condesa María parecía remorderle la conciencia; sonreía levemente, con la sonrisa de la tristeza. Su marido, el conde Federico, coronel de húsares, estaba en la guerra; sus dos hijos mayores, tenientes de artillería los dos, también.

Fuera, todo estaba cubierto por la nieve, como en las novelas de Tolstoi...

DOS CARTAS

La carta de don Evaristo Montenegro de Cela, elegante prosista y capitán de la marina, decía así:

A bordo de mi Touliña, *anclada frente a Maceio, a 8 de noviembre de 1844.*
A la señorita Rosinha Alagoas, hermosa perla de los cafetales de su padre.

Mi distinguida señorita:
He tirado por la borda, para que se los comieran los tiburones, que tanto os atemorizan, los dos carneros que ayer me regaló vuestro padre. Es posible que mañana vaya también al mar el negro Santos; me parece que está sarnoso. Espero que no toméis a desprecio mi determinación; os agradezco el presente en todo lo que vale, pero reconoced que la sarna es un feo mal que precisa del agua.
Y bien, Rosinha, ¿cómo habéis dormido? ¿Habéis perdonado mi atrevimiento? Con vuestro bucle he mandado hacer un dije de oro que jamás descolgaré de mi cuello, os lo prometo. Cuando muera —si muero en tierra firme— ordenaré quemarlo sobre mi corazón; si muero en medio de la mar —como parece mi deber— bajaré al reino de las algas sin habérmelo desprendido y se lo brindaré a la primera sirena en la que os reconozca. Las sirenas brasileiras —según es fama en la mitología— son dulces y bondadosas y jamás cantan, melodiosamente, para buscar la ruina de los navegantes; a una conocí, bañándose en la desembocadura del río Jaguaryba, allá por la pascua del año pasado, que me lo contó. Se llamaba Diamantina, y era hija del primer blanco que cruzó la sierra del Roncador; tenía muchos años, pero el dios Neptuno le otorgó el privilegio de no representar nunca más de catorce —la edad en que se murió caída de un cocotero—. Su madre la lloró por todo el Matto Grosso y su padre ofreció secar el río Grande si la muerte respetaba su sonrosada color. El cuerpo de Diamantina desapareció una noche en la que había dibujadas sobre las palmas

tantas estrellas como jamás se habían visto y, transformada ya en sirena, se presentó cierta vez a su padre, aguas arriba del Grande, para mostrarle su felicidad.

Es una hermosa historia para contar en camisón, suavemente despiertos bajo el mosquitero, entreoyendo a lo lejos el ceder de la bajamar. Confiemos y hagamos méritos; nada —¡bien lo sabe Dios!— se alcanza sin esfuerzo.

Lo que os iba diciendo; con vuestro bucle he mandado llenar un dije de oro, en cuyo envés figurará la leyenda de mi abuelo Sebastián, sabio licenciado que murió de amor una tarde que ya no pudo más. No duermo, sólo lo parece. A él brindaré en mis oraciones el eterno amor que os profeso, Rosinha, y de él tomaré ejemplo cuando vea que mi ánimo —frágil a la tentación— flaquea en vuestra reverencia.

Los hombres, mi amada señorita, somos volubles e inconstantes, según dicen determinadas mujeres, aquellas sobre las que jamás rozó el liviano vuelo de nuestra volubilidad o la distraída atención de nuestra inconstancia. Y yo os afirmo que quizá más valgamos así, nada solemnes ni prometedores —aun jurando a cada instante nuestro insatisfecho amor—, nada farisaicos, os digo, sino todo corazón que fallece —día a día, hora a hora, minuto a minuto— por ese beso que aún vuestros labios no obsequiaron.

Quizá os extrañe todo esto, después de lo pasado. Es lo mismo; pensad que así es más hermoso. Vivimos el siglo del progreso, y día llegará —es posible que ya no lejano— en el que nuestras ideas corran a la velocidad de la máquina de vapor.

Besa vuestros pies, vuestro rendido,

E.

P. D. secreta.—Te escribo esta carta tratándote de vos por temor a que llegue a ser leída por la tierna bestezuela de tu madre. Te abraza con el mismo frenesí de anoche,

EVARISTO.

Pudo el negro Santos seguir padeciendo gustosamente su sarna al ser rescatado por la amorosa señorita Rosinha Alagoas, quien lo devolvió al cafetal. Don Evaristo recibió a las pocas horas un perfumado billetito de su amada, que decía así:

Al señor Evaristo de Montenegro.

Señor:
No sé si sois un hombre o un monstruo, si un ángel o un demonio. Al negro Santos —cristiano como yo— lo he enviado de nuevo al cafetal; habla de vos con espanto y dice que tenéis el mirar brillante como el del jaguar. Yo —¡pobre Santos!— ya lo sabía...
Pensad que entre nosotros todo ha terminado. Es pena que os haya querido tanto, hace aún tan pocas horas, para que tan presto hayáis hecho sangrar lágrimas a mi corazón.
Confío que Nuestra Señora de Belén os muestre algún día el buen camino. Si no —casi no me atrevo a escribirlo—, ordenaría a mi hermano que os castigase como a un perro.
Olvidaos de la desengañada,

ROSINHA.

Don Evaristo ordenó azotar al correo y se encerró cerca de dos horas en su camarote; se puso la casaca azul eléctrico de bajar a tierra y dirigió sus pasos a casa de la familia Alagoas. Llevaba dos largas pistolas colgadas del cinturón; tenía la cara de la color de la cera y los ojos como de haber llorado. Unas violáceas ojeras le sombreaban dulcemente, casi trágicamente, la mirada.

—¿Pero tú?

—Sí; vengo a merendar con vosotros.

—¿Recibiste mi carta?

—La recibí; pensé que era mejor no contestarla.

Don Joaquín y doña Rosa, los padres de Rosinha, aparecieron ante don Evaristo sonrientes, como siempre y, como siempre, serviles.

—El señor Montenegro merendará con nosotros...

—A eso vengo, Alagoas. Es para mí un honor.

—Muy agradecido, don Evaristo.

A lo lejos se oyó el ladrar distraído de un perro vagabundo. Rosinha, sobresaltada, miró para el invitado.

—Yo soy el protector de todos los perros de este mundo, Alagoas, absolutamente de todos. Al que ante mí se jacte de castigar a un perro lo derribo de un tiro; es la orden de mi andante caballería.

Don Evaristo bebió un sorbo de refresco.

—Sólo lo perdono si es mujer.

Rosinha, con la vista clavada en el suelo, notó cómo don Evaristo le sonreía. Todas las miradas fueron, una a una, a posarse sobre su cabeza.

—Está mustia la niña y de mala color.

—Cosas de la edad, doña Rosa; ya los años que todo lo secan, hasta las bellas fuentes que manan mustiedades y palideces, se irán encargando de arreglarlo todo.

Rosinha rompió en un llanto desaforado y se marchó de la habitación. A su padre no se le ocurrió más cosa que levantar la voz para decir:

—Dejadla, son mimos.

Don Evaristo, sonriente, empuñó una pistola de su cinturón.

—A veces, una emoción fuerte hace reaccionar el ánimo más abatido.

Tiró, y del primer disparo descolgó la lámpara de la habitación, que hizo un estruendo infernal al irse, en pedazos, contra el suelo. Guardó el arma y contempló la escena. Doña Rosa, presa de un ataque de nervios, se debatía en la mecedora de mimbre. Una nube de criados asomaba, entre maravillada y atónita, por todas las puertas y, en medio de ellos, cubriendo su gozo de fingido susto, la señorita Rosinha dejaba ver sus morenas y gordezuelas facciones.

—¡Pero, hombre, don Evaristo! —se le ocurrió decir a don Joaquín Alagoas.

—No se preocupe, amigo; los comerciantes no tienen recuerdos de familia.

Don Evaristo, cuando llegó la noche, se despidió dejando a don Joaquín la pistola como recuerdo.

Volvió a la bricbarca y se encontró con Rosinha, que le esperaba en su camarote. Ordenó levar anclas para las once y, como justificación, envió a Alagoas una carta poniendo las cosas en claro. La llevó un marinero que se llamaba José; antes de partir, don Evaristo le dio un saquito de onzas de oro y le ordenó que lo fuera a esperar a la desembocadura del San Francisco.

—No sé lo que tardaré, porque tampoco sé adónde querrán llevarme los ángeles que guardan a la señorita. Tú espérame allí.

—Está bien.

El don Evaristo Montenegro de Cela de que aquí se habla es tío abuelo del también marino y elegante prosista del mismo nombre y apellido que aparece en *Esas nubes que pasan*. Del don Evaristo de ahora hablo en mi artículo «Las modas en las épocas de transición», que recojo en el tomo IV de la Obra Completa.

Quinta parte

La varita de la virtud

A misia Elpidéfora, delicada tañedora de mén-
tulas como torlorotos, que pensaba que la virtud
era el inabdicable cuesco del amor.

Se llamaba Octavio, como un joven poeta o un emperador romano, y era maestro en el difícil arte de soplar con sabiduría los aires de la música en su octavín.

Tenía la barba blanca y el mirar en sosiego, conocía las yerbas que curan las fiebres, sabía el lenguaje de los montes y el pecado de los pájaros de mil colores, y andaba un poco escorado como un barco viejo; como un barco que no se sahumó con algas dulces a su debido tiempo, después de haber servido a la piratería.

Vestía de sagatí, igual que un disciplinario, y cubría su cabeza con un bombín de castaña, al que una monja de Covarrubias, en el campo de Burgos, cosiera un barboquejo de badana por caridad, señor, y por mor de que no se lo llevase volando el viento de los caminos, zascandil y triscador como un chotillo que aún no conoce yerba.

Zoquetero de todas las sendas; vagabundo del camino infinito, ese que nunca acaba y que, de cuando en cuando, se parte en dos; andarríos de los mil ríos de Dios; ventolero que anduvo dando barzones por la geografía entera de Castilla, Octavio, señor, ese hombre que asusta a vuestros hijos y que semeja un olivo milenario, tiene blanco el corazón como la flor del espino y cuando chifla en su octavín las notas bien compuestas de una canción, tiembla como una vara verde o como un niño con miedo. Él, que parece que va a comerse a todo el mundo. Él, que a veces, por no pedir, ni come.

Infante de los manantiales, caballero de las aguas que caen cantando de piedra en piedra, paladín de las causas hermosas y olvidadas, el flautista Octavio, tierno como los músicos de la paganía, sentimental y hermoso como los mismos olvidos del amor, silba, sentado en una piedra del camino, los silbos que enamoran al ruiseñor y al lobo, al grillo violinista y al garduño mal encarado y malaúva, a la liebre y a la alondra, al topo y al azor.

Me contó un lego de San Silvestre —truhán, como es de ley, y seco como un sarmiento— que en una ocasión, estando el flautista soplando de su flauta allá por los pinares donde el Duero, aún niño, todavía se llama Duruelo, se le acercó una ardilla que le regaló un sagarmín y tres rositas silvestres, al tiempo que le decía:

—Señor músico; yo, aquí donde me veis vestida con la roja piel de la ardilla, soy una doncella encantada que no me desencantaré hasta que mis oídos escuchen, en una noche de luna, el tañir de una flauta que toque una tocata que se llama la *Pavana para una infanta difunta*. ¿La querréis tocar?

El andarríos Octavio se comió el sagarmín, se puso una rosita en cada oreja y otra en el sombrero y habló de esta manera, con la voz fina que se pone para hablar a los corazones del bosque:

—Gentil señorita: yo no sé tocar esa tocata que me decís, ni la he oído en mi vida, pero tampoco es ley que sigáis encantada y que, siendo doncella, viváis sola en el bosque, saltando de rama en rama. Os propongo que os vengáis conmigo. Yo ando despacio y no habéis de cansaros nunca, pero si algún día os cansarais o si quisieseis dormir, siempre encontraréis en el bolsillo de mi zamarra un refugio tan pobre como caliente y seguro.

El andorrero del octavín sacudió la saliva de su flauta y volvió a hablar.

La ardilla, sentada sobre su gruesa cola, le escuchaba con atención, como los niños que llevan premio en la doctrina.

—Yo, gentil señorita, os prometo preguntar a todos los sacristanes y a todos los barberos y, a lo mejor, alguno sabe la solfa de la pavana que os desencantará. Procuraré aprenderla y, en cuanto la sepa bien sabida, os llevaré si os parece bien, hasta un bosquecillo que hay cerca de las Huelgas de Burgos, donde tengo una sobrina profesa que es la que toca el *Angelus* en las campanas y una de las más aventajadas artistas del expresivo, y allí os subiréis a un árbol mientras yo toco la música que, si está bien tocada, pienso que os habrá de dar vuestra primera forma. Cuando os volváis mujer, yo, gentil señorita, os ayudaré a bajar del árbol y os depositaré en el convento, porque no es bien que una doncella ande vagando, y vos, gentil señorita, explicaréis vuestro caso a las madres, que no dudo que os atenderán y os aconsejarán como saben hacerlo.

....

El lego de San Silvestre, al llegar a este punto de la historia, pidió tabaco. Yo, para que siguiese hablando, le di tabaco para un cigarro cumplido y un resto de escabeche que andaba rodando por el macuto, envuelto en un discurso.

—¿Y la doncella se desencantó?

—Pues no, señor, no se desencantó, que cuando el andarríos, al año largo, ensayaba en su flauta la pavana, un niño mató a la ardilla con una escopeta de pistón.

* * *

Por el horizonte, pasa el andarríos del octavín, con su barba blanca y su mirar en sosiego, vestido de sagatí y tocado con un bombín de castaña con barboquejo. Según dicen, en las noches de luna silba en su flauta la *Pavana para una infanta difunta*. Después, según dicen, llora.

PEQUEÑA PARÁBOLA DE CHINDO, PERRO DE CIEGO

Chindo es un perrillo de sangre ruin y de nobles sentimientos. Es rabón y tiene la piel sin lustre, corta la alzada, fláccidas las orejas. Chindo no tiene raza. Chindo es un perro hospiciano y sentimental, arbitrario y cariñoso, pícaro a la fuerza, errabundo y amable, como los grises gorriones de la ciudad. Chindo tiene el aire, entre alegre e inconsciente, de los niños pobres, de los niños que vagan sin rumbo fijo, mirando para el suelo en busca de la peseta que alguien, seguramente, habrá perdido ya.

Chindo, como todas las criaturas del Señor, vive de lo que cae del cielo, que a veces es un mendrugo de pan, en ocasiones una piltrafa de carne, de cuando en cuando un olvidado resto de salchichón, y siempre, gracias a Dios, una sonrisa que sólo Chindo ve.

Chindo, con la conciencia tranquila y el mirar adolescente, es perro entendido en hombres ciegos, sabio en las artes difíciles del lazarillo, compañero leal en la desgracia y en la oscuridad, en las tinieblas y en el andar sin fin, sin objeto y con resignación.

El primer amo de Chindo, siendo Chindo un cachorro, fue un coplero barbudo y sin ojos, andariego y decidor, que se llamaba Josep, y era, según decía, del caserío de Soley Avall, en San Juan de las Abadesas y a orillas de un río Ter niño todavía.

Josep, con su porte de capitán en desgracia, se pasó la vida cantando por el Ampurdán y la Cerdaña, con su voz de barítono montaraz, un romance andarín que empezaba diciendo:

> Si t'agrada córrer món,
> algun dia, sense pressa,
> emprèn la llarga travessa
> de Ribes a Camprodon,
> passant per Caralps i Núria,
> per Nou Creus, per Ull de Ter
> i Setcases, el primer
> llogarret de la planúria.

Chindo, al lado de Josep, conoció el mundo de las montañas y del agua que cae rodando por las peñas abajo, rugidora como el diablo preso de las zarzas y fría como la mano de las vírgenes muertas. Chindo, sin apartarse de su amo mendigo y trotamundos, supo del sol y de la lluvia, aprendió el canto de las alondras y del minúsculo aguzanieves, se instruyó en las artes del verso y de la orientación, y vivió feliz durante toda su juventud.

Pero un día... Como en las fábulas desgraciadas, un día Josep, que era ya muy viejo, se quedó dormido y ya no se despertó más. Fue en la Font de Sant Gil, la que está sota un capelló gentil.

Chindo aulló con el dolor de los perros sin amo ciego a quien guardar, y los montes le devolvieron su frío y desconsolado aullido. A la mañana siguiente, unos hombres se llevaron el cadáver de Josep encima de un burro manso y de color ceniza, y Chindo, a quien nadie miró, lloró su soledad en medio del campo: la historia —la eterna historia de los dos amigos Josep y Chindo— a sus espaldas y por delante, como en la mar abierta, un camino ancho y misterioso.

¿Cuánto tiempo vagó Chindo, el perro solitario, desde La Seo a Figueras, sin amo a quien servir, ni amigo a quien escuchar, ni ciego a quien pasar los puentes como un ángel? Chindo contaba el tránsito de las estaciones en el reloj de los árboles y se veía envejecer —¡once años ya!— sin que Dios le diese la compañía que buscaba.

Probó a vivir entre los hombres con ojos en la cara, pero pronto adivinó que los hombres con ojos en la cara miraban de través, siniestramente, y no tenían sosiego en el mirar del alma. Probó a deambular, como un perro atorrante y sin principios, por las plazuelas y por las callejas de los pueblos grandes —de los pueblos con un registrador, dos boticarios y siete carnicerías— y al paso vio que, en los pueblos grandes, cien perros se disputaban a dentelladas el desmedrado hueso de la caridad. Probó a echarse al monte, como un bandolero de los tiempos antiguos, como un José María el Tempranillo a pie y en forma de perro, pero el monte le acunó en su miedo, la primera noche, y lo devolvió al caserío con los sustos pegados al espinazo, como caricias que no se olvidan.

Chindo, con gazuza y sin consuelo, se sentó al borde del camino a esperar que la marcha del mundo lo empujase a donde quisiera y, como estaba cansado, se quedó dormido al pie de un majuelo lleno de bolitas rojas y brillantes como si fueran cuentas de cristal.

Por un sendero pintado de color azul bajaban tres niñas ciegas con la cabeza adornada con la pálida flor del peral. Una niña se llamaba María, la otra Nuria y la otra Montserrat. Como era el verano y el sol templaba el aire de respirar, las niñas ciegas vestían trajes de seda, muy endomingados, y cantaban canciones con una vocecilla amable y de cascabel.

Chindo, en cuanto las vio venir, quiso despertarse, para decirles:

—Gentiles señoritas, ¿quieren que vaya con ustedes para enseñarles dónde hay un escalón, o dónde empieza el río, o dónde está la flor que adornará sus cabezas? Me llamo Chindo, estoy sin trabajo y, a cambio de mis artes, no pido más que un poco de conversación.

Chindo hubiera hablado como un poeta de la Edad Media. Pero Chindo sintió un frío repentino. Las tres niñas ciegas que bajaban por un sendero pintado de azul se fueron borrando tras una nube que cubría toda la tierra.

Chindo ya no sintió frío. Creyó volar, como un leve vilano, y oyó una voz amiga que cantaba:

> Si t'agrada córrer món,
> algun dia, sense pressa...

Chindo, el perrillo de sangre ruin y de nobles sentimientos, estaba muerto al pie del majuelo de rojas y brillantes bolitas que parecían de cristal.

Alguien oyó sonar por el cielo las ingenuas trompetas de los ángeles más jóvenes.

EL PERRO DEL MINA CANTIQUÍN

¿Cómo se llamaba el perro del *Mina Cantiquín?* ¿De qué color era y cuántos años tenía? ¿Cuántas muestras de lealtad dio en su vida el perro ahogado del *Mina Cantiquín?* ¿Cuáles eran sus gracias, sus mañas, sus habilidades?

El *Mina Cantiquín,* de la matrícula de Gijón, se hundió, hace cosa de un par de semanas, en las duras aguas del Cornwalles, no lejos de Black Head. Sus diecisiete tripulantes, por fortuna, pudieron ser salvados. Pero el perro sin nombre del *Mina Cantiquín,* encerrado en un camarote para que las olas no se lo llevaran, fue olvidado en medio de la galerna y se ahogó con el viejo barco que lo cobijaba, esa casa a flote que dejó de estarlo.

¿Qué habrá pensado el perro del *Mina Cantiquín* cuando las aguas invadieron las cuatro paredes de su prisión? ¿Hacia qué marinero habrá dirigido su último y más desolado aullido de socorro? ¿De qué males se habrá sentido culpable al saberse tan amargamente abandonado?

El escritor, durante varios días, no quiso escribir del desdichado perro del *Mina Cantiquín.* El escritor, durante varios días, esperaba leer en las páginas de los periódicos unas líneas emocionadas en loor del perro que murió de tristeza quizás unos instantes antes de que el agua lo matara. El escritor, en vista de que nadie lo hizo, quiere mojar su pluma en el negro tintero de las tristezas para dedicarle un adiós tibiamente estremecido al perro del *Mina Cantiquín,* el único ser vivo que se fue al fondo del peligroso mar del Cornwalles, una fatídica y vulgar mañana gris como el olvido, ese mismo olvido que lo mató.

Estremece pensar que el perro del *Mina Cantiquín* se haya podido sentir abandonado y sin consuelo por esos mismos hombres a los que tanto amaba, por esos mismos hombres que tanto lo amaban a él pero a quienes el peligro borró, con una esponja, la memoria, el entendimiento y la voluntad.

Los marineros del *Mina Cantiquín,* cuando el capitán haya recontado su tripulación, habrán vertido una última lágrima por el perro que se hundió, con la bandera, sin explicarse demasiado qué era todo lo que estaba pasando.

El marinero, como buen solitario, ama la música, el tabaco de pipa y el sobrecogido y amoroso mirar de los animales. Y los marineros del *Mina Cantiquín,* en la atónita alegría del salvamento, habrán visto su gozo sepultado en el doliente pozo donde el perro se ahogó.

¿Qué sirenas celtas habrán recogido el último golpe del corazón del perro del *Mina Cantiquín?* ¿Qué misteriosos peces del abismo habrán hecho festín de su carne invadida de tristeza? ¿Qué extraño pez volador habrá llevado el doloroso parte hasta el remoto limbo de los perros muertos, como capitanes heroicos, con el barco sobre el que navegaron los siete mares?

En esa historia que no se ha escrito —en la historia de los perros ilustres, valerosos, famosos y desgraciados— el perro del *Mina Cantiquín* hubiera tenido su página, esa postrera asa del recuerdo a la que se hubiera agarrado como a un clavo ardiendo.

Porque el perro del *Mina Cantiquín,* que murió de dolorosa lealtad, se llevó para el fondo del mar su desgraciada y minúscula fabulilla, su anécdota sin dimensiones, su tragedia en un vaso de agua, su muerte que al escritor sobrecogió en su misma pregonada sencillez.

Porque los símbolos son como las estrellas, el gozo y el dolor, ilimitados, el escritor quiso apurar esa lágrima que le asomaba tímida al mirar.

Y porque la vergüenza es no saber confesarse avergonzados a tiempo. Y querer ignorar que en el pecho del perro del *Mina Cantiquín* se desató un vendaval capaz de derribar montañas.

Porque su corazón latía por la voluntad de Dios. Y sus pulmones dejaron de respirar porque Dios quiso. Ni más ni menos: como el terremoto, como el amor, como el rayo. Exactamente, como el rayo.

El 24 de febrero de 1952, en Barcelona, la Federación Española de Sociedades Protectoras de Animales y Plantas le concedió el 1.er premio a este texto mío. Renuncié al importe —que cedí para que comprasen alpiste para los gorriones de las Ramblas— pero el jurado, desobedeciendo mi mandato y pensando, quizás, que el escritor es también animal digno de protección, prefirió repartirlo así:

A *Sensibilidad,* de don Baldomero Argente, 250 ptas.

A *Koki y yo,* de don José Silva Aramburu, 250 ptas.

A *Para honor y beneficio de Madrid,* de don Tomás Borrás, 250 ptas.

A *Los peces del Mohasen comen a la carta,* de don Ramón Touceda Fontenla, 250 ptas.

A *El lenguaje de los animales,* de doña Bárbara Meneses, 250 ptas.

Y a *Alarma en la carretera,* de don J. Clopas Batlle, 250 ptas.

Total, 1.500 ptas. Detallada información de tan equitativo reparto se publicó, pocos días más tarde, en numerosos diarios españoles.

La soledad

A doña Dominga Braulia Martínez, que murió en la soledad y el desamor.

La niebla se pegaba al suelo desconsideradamente y la yerba y los matojos se enseñaban de color gris ceniciento brillante, el brillo se lo daba la humedad. A mi tía Pierrette la Carmañola le decían Pájara, la Dama Pájara, porque iba por la vida de culo pajarero, como Leonarda la Bien Parida, la segunda esposa de don Culebrón Saavedra el Botiondo, el de la droguería de la plaza de toros. Mi tía Pierrette, que era manca, perdió un brazo en la guerra del 14, volvía de la catequesis con gesto distraído. Un guardia municipal le preguntó:

—¿Por qué cojea, señora?

Y ella, mirándole fijamente, le dijo con voz nada melodiosa:

—Yo no cojeo, guardia simplicísimo, en mi familia no cojea nadie. Y además, si cojease, que no cojeo, le repito, ¿a usted qué le importa? ¿Qué artículo de la Constitución o qué ley prohíbe cojear a los contribuyentes? ¡A ver, que yo lo sepa!

—Dispense, señora.

A mi tía Pierrette, que era droguera, heredó la droguería de su marido, tío Pierre, que murió en la guerra del 14, la llamaré de ahora en adelante, aunque no con carácter general, con otro nombre, porque a ella no le gustaba nada eso de andar de boca en boca; es probable que con el tío Pierre, suponiendo que vuelva a hablar de él, haga lo mismo, aunque por causas diferentes.

—Respeto su voluntad.

—Gracias.

Con cierta diáfana claridad pudo escucharse lo siguiente (quien hablaba era una señora).

—Yo sé solfeo, pero como si no; también colecciono monedas romanas, sellos del Imperio Austrohúngaro, de Bosnia y Herzegovina y de Montenegro, y estampitas de futbolistas y de corredores de fórmula 1, y tengo nociones de esperanto y de álgebra y trigonometría pero de nada me vale nada porque me paso las horas muertas en el guáter, o sea en el servicio, venga a vaciarme y vaciarme, a vaciarme con arrebato y ya casi por inercia, en mis últimas deposiciones yo creo que ya vacié hasta la conciencia porque en el bandujo no debe quedarme nada. ¡Qué horror!

La señora tomó un sorbito de zarzaparrilla, suspiró, ventoseó, eructó, se enjugó una lagrimita y continuó.

—Hay gallinas ponedoras, todo el mundo lo sabe, leghorn, andaluza blanca, menorquina negra, prat leonada, esta es más bien de carne, red rhode island, también es de carne, hay gallinas deponedoras, lo saben hasta los más ignaros forasteros, y señoras deponedoras, vale, quiero decir especialistas en deposiciones mantenidas y a tanto alzado, ininterrumpidas y al bies, pues lo que yo le digo a usted, padre, es que yo me llevaría el primer premio de señoras deponedoras, vamos, a mucha distancia de la segunda que a lo mejor era una haitiana, una estoniana o una china pero una española no, desde luego, eso podría jurárselo por lo más sagrado.

La señora tornó a la zarzaparrilla y a las licencias.

—Es que me deshidrato, ¿me entiende?

Después sonrió.

—Perdóneme un momento que voy al guáter, o sea al servicio, no se me vaya que en seguida vuelvo.

Cuando doña Deseada Yáñez Mangarriato, alias Freza Entablas, regresó del excusado, o sea del servicio, vamos, del guáter, siguió en el uso de la palabra.

—¿Quiere usted, padre, una coca-cola light o prefiere un fanta de naranja, que es más propio de sacerdotes, tanto de clérigos a la antigua usanza como de curas progres?

—Pues mire, usted, jodida doña Deseada...

—¡Sin faltar, padre, no profiera usted tacos en mi presencia! ¡Repórtese, cual corresponde a su estado!

—Me reportaré, si es su deseo. Pero en lo tocante al léxico y a los estados, repórtese usted y no hable de lo que ignora. ¿Sabía usted lo que le pasó al monje dominico Blas de Castro, que ascendió a los cielos con el nombre de Blas de Logroño, inquisidor que fue de Granada y Málaga y famoso por su buena maña en la tortura, sobre todo de monjas?

—No, padre.

—Pues os lo diré presto. Escuchad:

No hay santo tan español
como San Blas de Logroño
a quien echaron del cielo
cuando soltó el primer coño.

—No estaba en mi conocimiento, padre.

—Pues entonces, cállese. ¿Por qué no he de usar el mismo español que San Blas, aunque lo largaran del paraíso por probar a hablar el español como Quevedo?

—¡No le falta razón, padre!

El presbítero retomó el hilo de su discurso.

—Pues mire, usted, doña Deseada, vuelvo a lo del refresco que me ofrecía: como preferir, preferir, vamos, lo que se dice preferir, un servidor prefiere un traguito de bebida espirituosa, una copita de anís seco, cazalla, chinchón, rute, ojén, machaquito, el que tenga usted por ahí si tiene alguno, claro, para mí que combate mejor el flato y orienta con más aplomo las aireaciones del organismo, ya me entiende —ahora rece nueve avemarías o váyase a la pata coja hasta Portugal, a la vuelta no— y unos tejeringos o unos pestiños para mojar si tiene, me sirve cualquier fruta de sartén, también me gustan las tortas de Alcázar, ¿le quedan tortas de Alcázar?, y las mantecadas de Astorga y las yemas de Santa Teresa o de San Leandro, estas no son para mojar, ya lo sé, pero también alimentan y dan lustre al organismo y reciedumbre al espíritu. ¿Sigo?

—No, no hace falta; espere que busque.

Doña Deseada buscó y al cabo de un rato trajo una botella de vermú y un poco de mortadela, estaba algo seca pero era de buena calidad: mortadela de chino, con los chinos se hace muy buena mortadela.

—¿Se arregla, de momento?

—Sí; de momento, sí.

Doña Deseada, a lo mejor se llamaba doña Dorinda la Sopera, jamás se puede poner una mano en el fuego por nada, ¡cría cuervos y te sacarán los ojos!, no podía hacer vida de sociedad como hubiera sido su deseo, digo doña Deseada, porque se lo impedían sus trastornos del tubo digestivo.

—¿O sea gástricos?

—Sí, eso.

—¿Y espectaculares?

—También espectaculares, ¡ya lo creo!, todo el mundo se pasmaba con el espectáculo.

Su amiga doña Ideada Rathenau, alias Morcona, la de telégrafos, era zullenca intermitente, o sea pedorra a lo tartamudo, y don Timoteo Gaitán de Hermosilla y Méndez-Brioso, académico correspondiente no puedo recordar ahora de dónde, gustaba de decir a sus amigos del casino Solaz del Contribuyente:

—Doña Ideada, mi buena amiga doña Ideada, con sus mañas ventrales, siempre me dio sobrado motivo para la lucubración erudita, bien lo sabe Dios. Veamos: la Real Academia Española llama pedo, con perdón sea dicho, a la ventosidad que se expele del vientre por el ano y advierte que peer, jamás peder, con perdón sea dicho, peder es la forma que propugna doña María Moliner, que era bienhablada, sí, pero sabía poco, peer, se venía diciendo, es arrojar o expeler la ventosidad del vientre por el ano. También la docta corporación, señores, define la ventosidad como gases intestinales encerrados o comprimidos en el cuerpo, especialmente cuando se expelen. Creo que en cuanto acabo de trasladarles del sentir académico hay, al menos, evidente miedo a las palabras y manifiesto despilfarro léxico porque sería bastante con haber expresado que el pedo, con perdón sea dicho, es la ventosidad que se expele por el ano (no hay duda que viene del vientre puesto que el eructo procede del estómago) y que peer, insisto, jamás peder, con perdón sea dicho, es tirar pedos, con nuevo perdón sea dicho (ya se sabe, tras la mera consulta del diccionario, que son ventosidades que se originan en el vientre y que se arrojan o expelen por el ano).

—¡Bravo! ¡Bravo! ¡Bravísimo!

Don Timoteo se levantó del asiento y se inclinó en cumplida reverencia con la mano diestra en el epiplón o mesenterio y la siniestra en el hueso cóccix, con acento, que decía Erasmo de Rotterdam, o coxis, sin acento, que decía Américo Vespucio. Los contertulios exclamaron al unísono:

—¡Hay que joderse, qué señor más culto!

Doña Ideada Rathenau, Morcona, le dijo a doña Deseada:

—¿Por qué no va usted a ver al doctor Ginnie Webber, el famoso doctor Ginnie Webber, Tuerto de Zurich II? Curar no la curará, vamos, supongo que no la curará, no curó jamás a nadie, que se recuerde, pero llevará a su atribulado ánimo mucho consuelo. ¿Por qué no prueba?

El Rvdo. P. Ángel Custodio Berengario y Bofarull, alias Melindre, el director espiritual de doña Deseada Yáñez Mangarriato, alias Freza Entablas, quizá se llamase doña Dorinda Urdilde Curueño, la Sopera, lo repito porque los nombres de la gente son siempre confusos, el Rvdo. P. Ángel Custodio terció en la conversación.

—Doña Ideada está en lo cierto, doña Deseada, ¿por qué no prueba?, ¿qué pierde usted con probar? A lo mejor le corta a usted el desguace, tampoco sería la primera, así no puede usted seguir porque lo pone todo perdido y además la salud se le resiente. Debe usted recurrir a ese famoso doctor tigurino, de Tigurinus Pagus, ¡toma ya!, o zuricheño, como congoleño, madrileño o rifeño, ¿me sigue?, piense que su situación es muy desairada, en cualquier momento puede usted sublimarse, algunos sólidos es lo que tienen, que se subliman, su situación es harto desairada.

—¡Dígamelo usted a mí!

Todo el mal de doña Deseada empezó el martes de carnestolendas de hace una década justa, que aquel año cayó en miércoles, el jueves santo lo trasladaron al 14 de abril porque el que hacía los calendarios era republicano, y su causa inmediata, su espoleta, fue que un cabo de alabarderos disfrazado de pierrot le topó en mitad del vientre, perdonado sea el señalamiento, en el baile de máscaras del Casino Militar, salón Numancia o salón Pavía, no recuerdo, todo el mundo se asustó mucho, y la dejó sin sentido.

—¿Común?

—No, normal.

A la pobre tuvieron que llevársela al ambulatorio a que la resucitasen dándole a oler amoniaco.

—¡Qué horror! ¡Qué cosas pasan! ¿Adónde iremos a parar? ¡Pobres hijos, la que les espera! ¡Yo no sé cómo hay nadie que se atreve a traer hijos al mundo! De nuevo le digo, ¿adónde iremos a parar?

—¡Vaya usted a saber! ¡La verdad es que no quiero ni pensarlo!

Desde entonces doña Deseada, que alguien podría tomar por mi tía Pierrette, la coja, perdón, la manca, ya no levantó cabeza y abdicó de gobernar el aparato digestivo.

—¿O sea el tripamen?

—Exacto, usted lo ha dicho; otros le llaman la andorga.

—¿Y falleció presto?

—No, ¡qué va!, duró más de un cuarto de siglo, cerca de cuarto y mitad.